FAVORITE GUITAR PICK TUN

by Willian

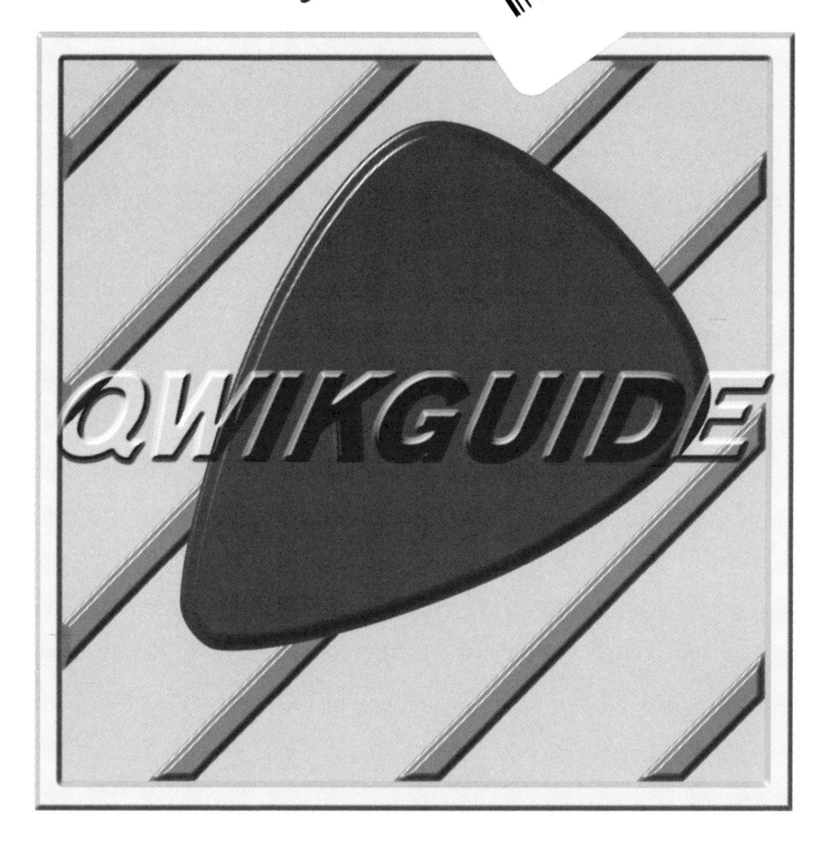

ATN, inc.

はじめに

この小さなクイックガイド(*QWIKGUIDE*)を手にしてくれたキミに、アコースティック・ギターも弾いてみようかと考えているキミに、そして、カッコいいギター・ソロを弾きたいと思っているキミに、まずは親愛をこめてエールを送りま〜す。

本書**フラットピッキング・ギター・チューン**は、アコースティック・ギターで、ブルース、カントリー、ブルーグラス、ラグタイム、ワルツなどのいろいろなスタイルの曲を演奏します。楽譜とTAB譜を見ながらCDの模範演奏で、アーティキュレーション、スライド、ハンマリング・オン、プリング・オフなどのテクニックがどの場所でどのように使われているかをよく聴きましょう。初めは、TAB譜に指定されたとおりのフィンガリングで弾きます。テンポを下げて、ゆっくりと確実にピッキングします。右手と左手がピッタリ合っていないとメロディーのアウトラインが崩れてしまうので十分注意をしましょう。確実に弾けるようになったら模範演奏と一緒に、または友だちにリズムを弾いてもらって、オリジナルのテンポで弾きましょう。また、異なるフィンガリングやポジションでも弾いてみましょう。

この**クイックガイド・シリーズ**には、本書以外にもギター・テクニックを磨くための練習曲集があります。これらの本も活用しましょう。

クイックガイド(*QWIKGUIDE*)シリーズ／ロック・ギター・ライン
〃　カントリー・ギター・ライン
〃　ブルース・ギター・ライン
〃　ジャズ・ギター・チューン
〃　フラットピッキング・ギター・ウォーミング・アップ
〃　フラットピッキング・ギター・テクニック
〃　フィンガーピッキング・ギター・チューン
〃　フィンガースタイル・ブルース・ギター・ソロ

もくじ

Blackberry Blossom

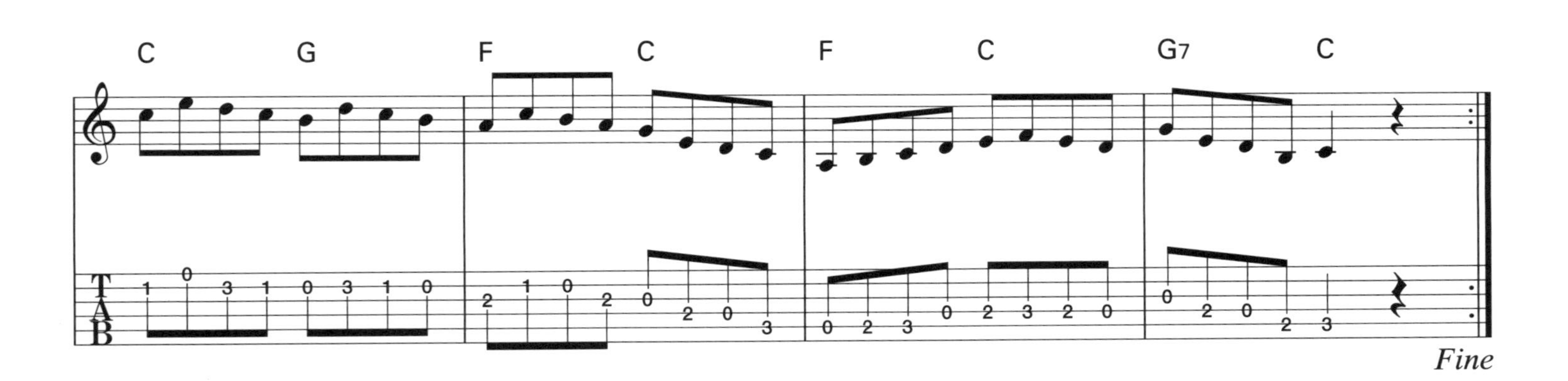

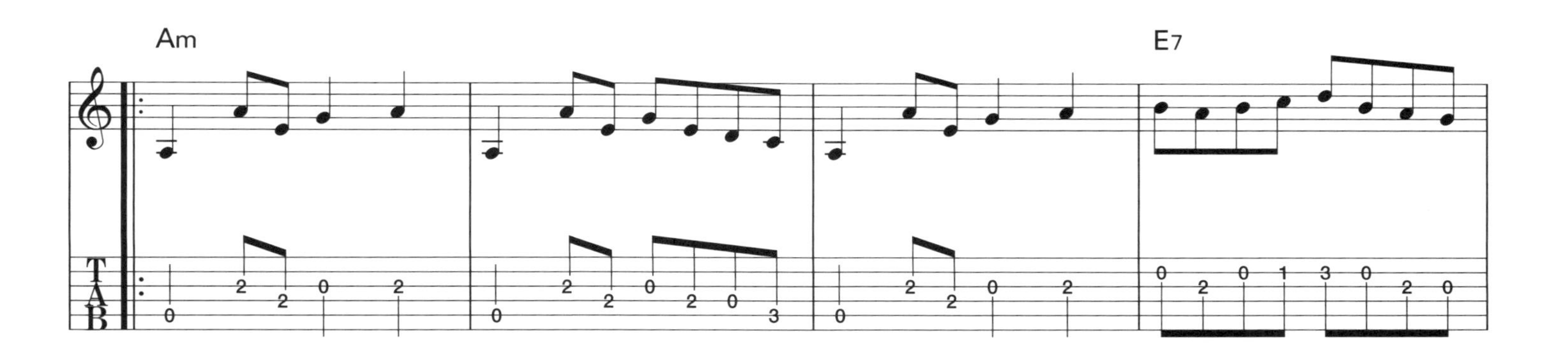
Am
E7
T
A
B

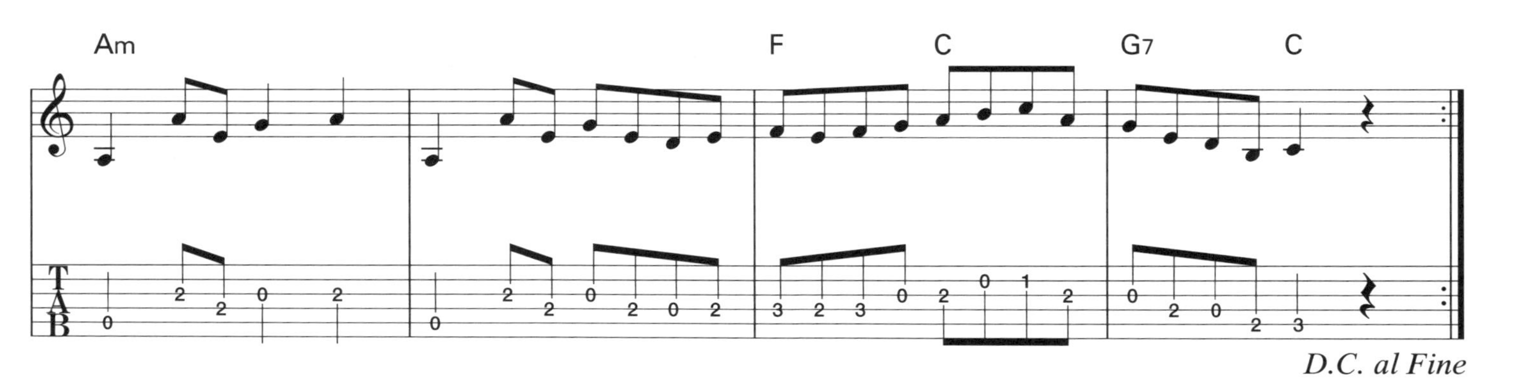
Am
F
C
G7
C
T
A
B
D.C. al Fine

St. Clair's Hornpipe

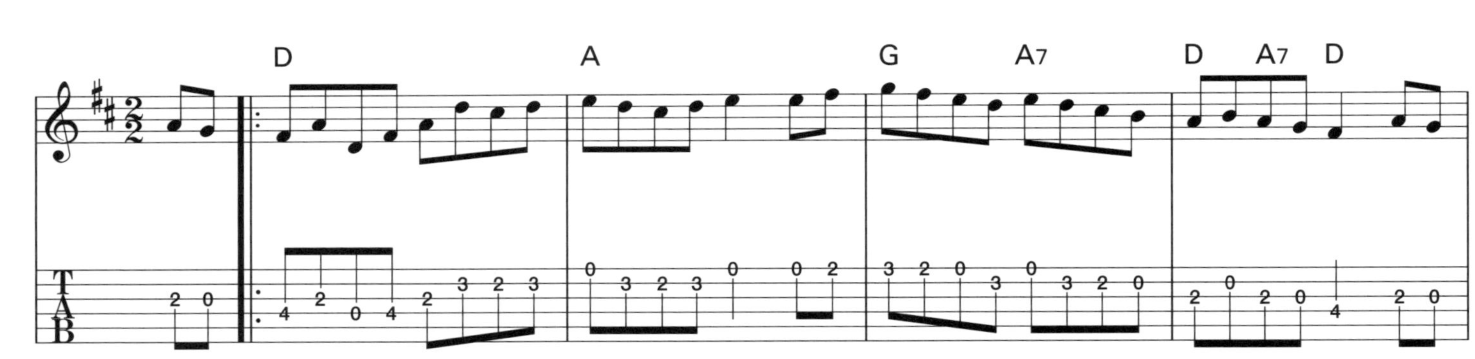

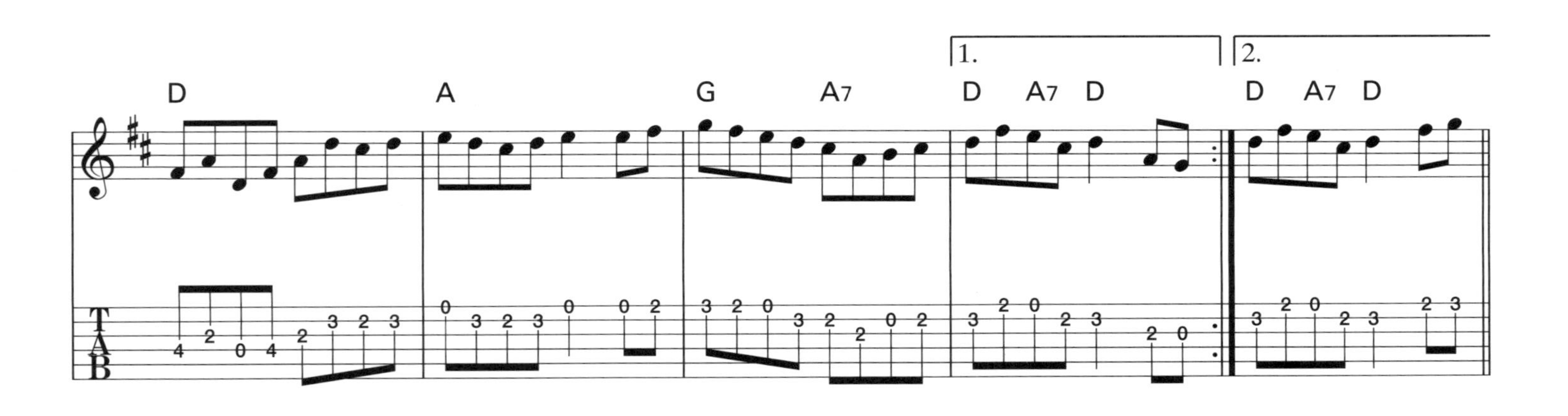

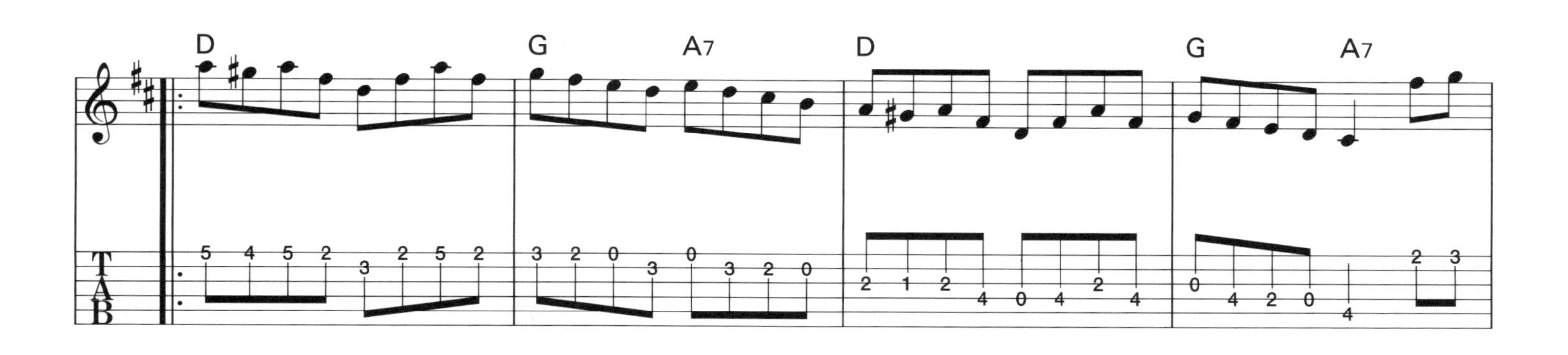
D
G
A7
D
G
A7

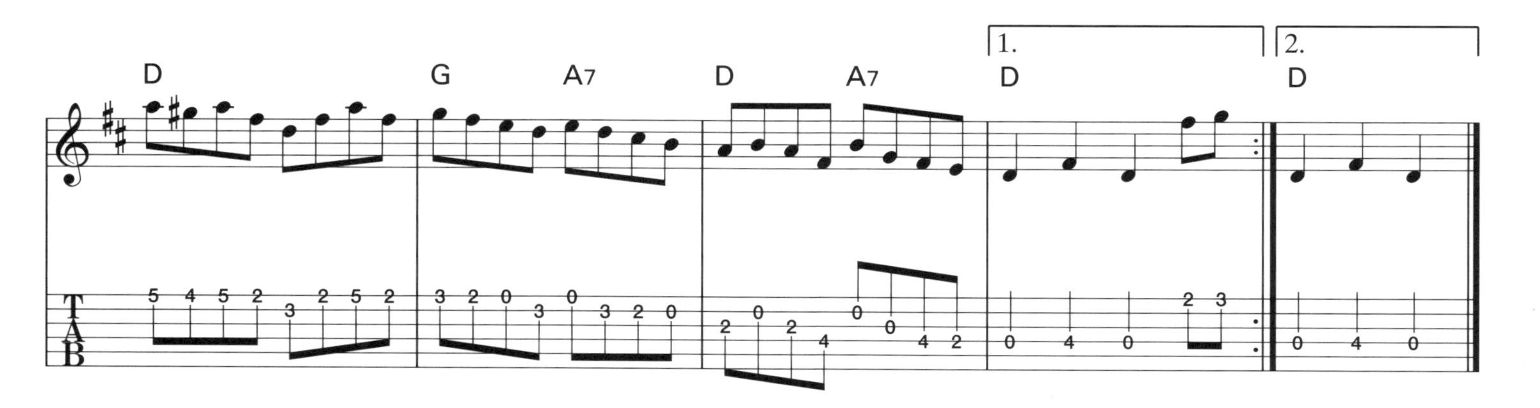
D
G
A7
D
A7
1.
D
2.
D

Red Haired Boy

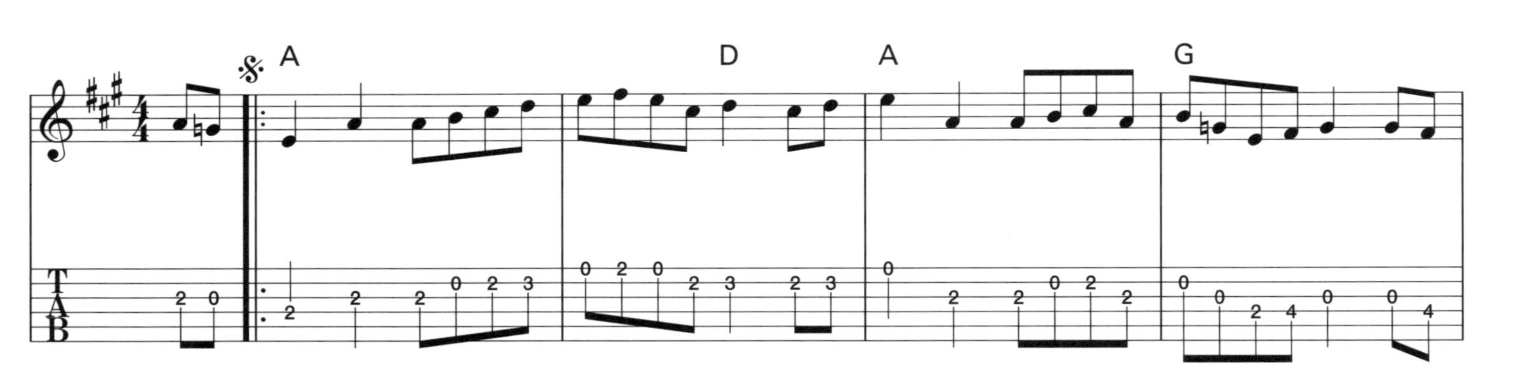

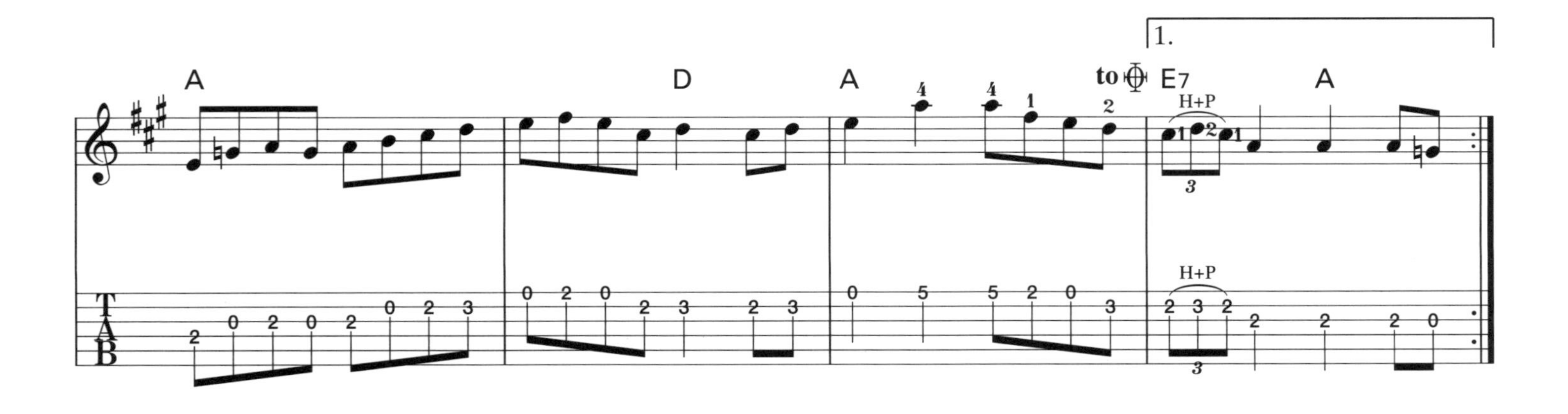

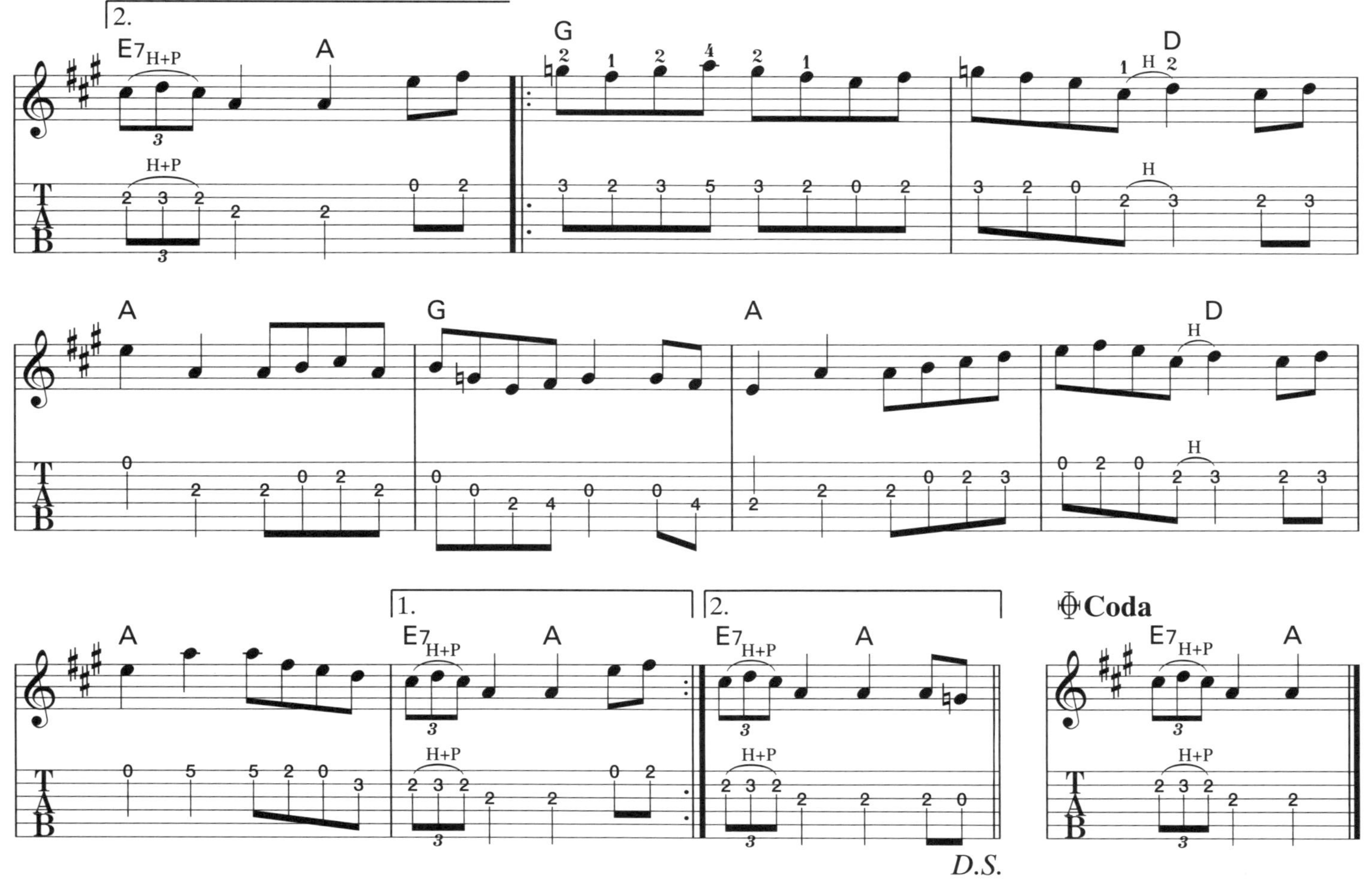
2.
E7
A
G
D
A
G
A
D
A
1.
E7
A
2.
E7
A
D.S.
Coda
E7
A

St. Anne's Reel

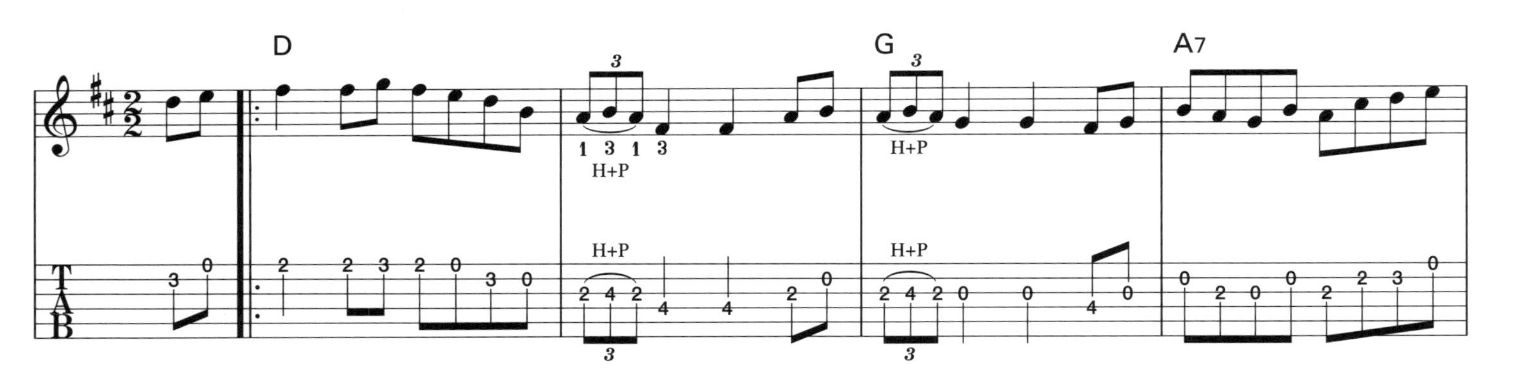

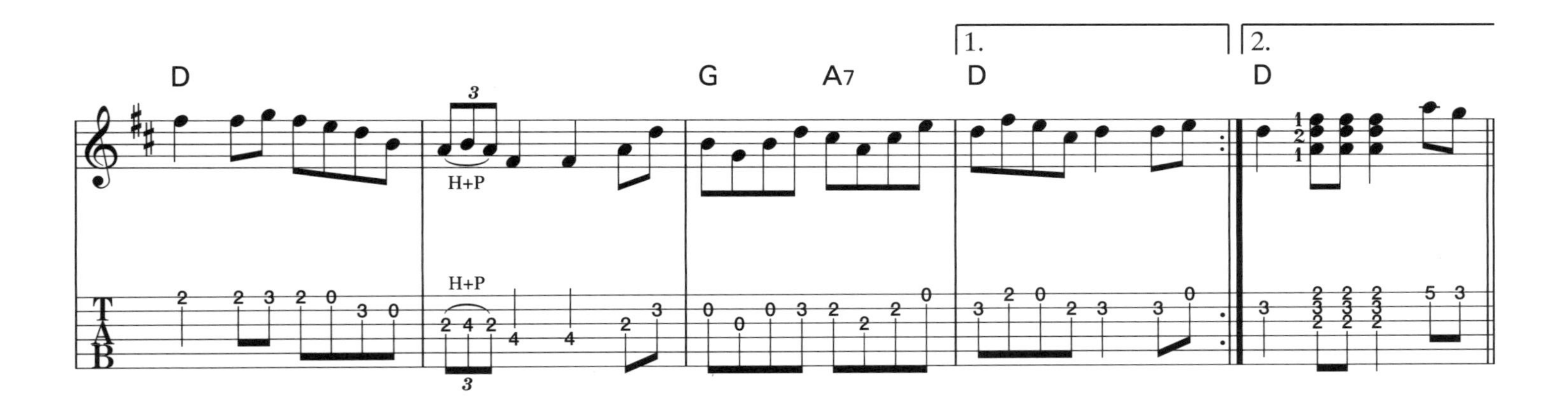

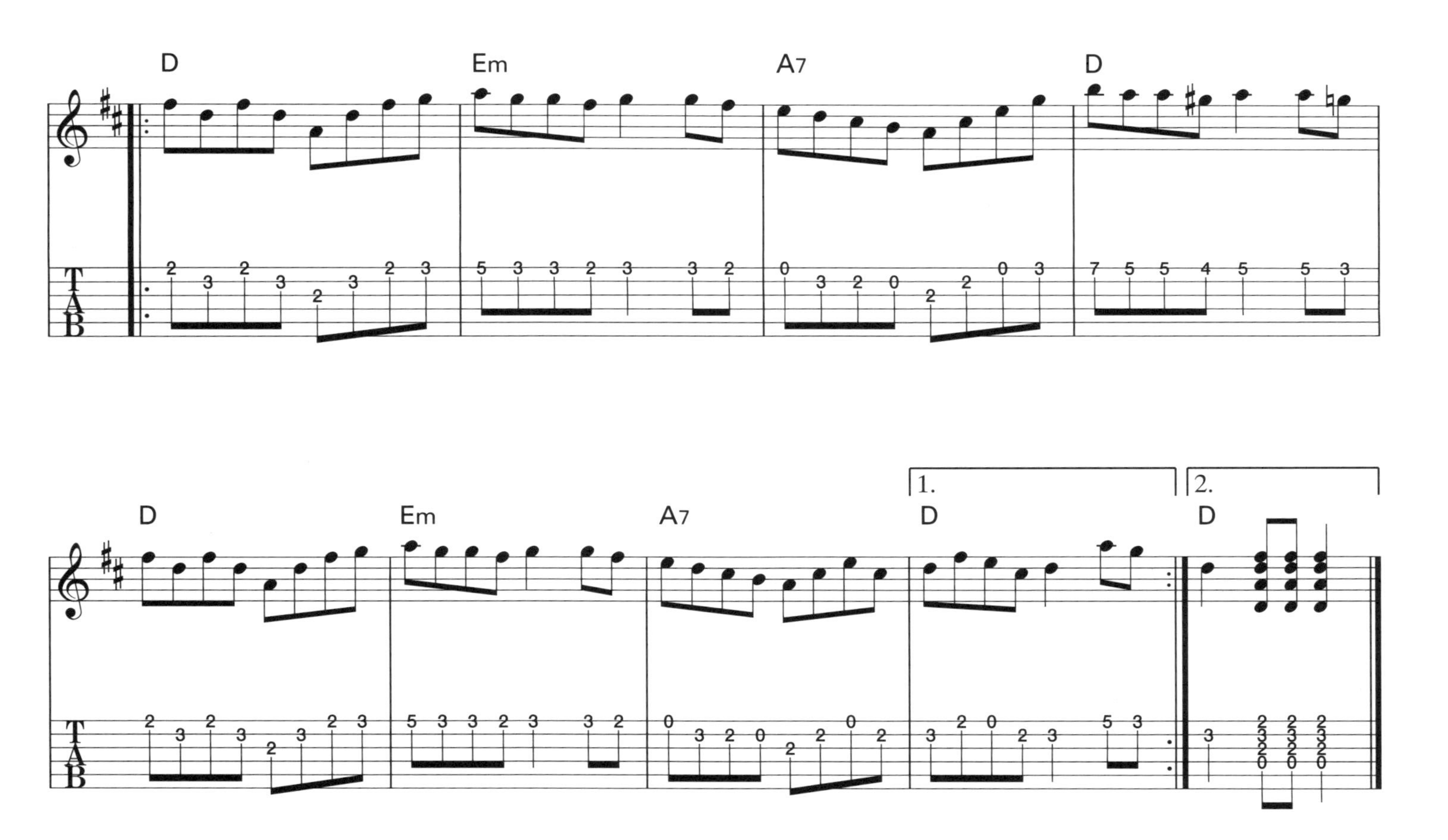
D
Em
A7
D
D
Em
A7
1.
D
2.
D

The Teetotaller's Reel

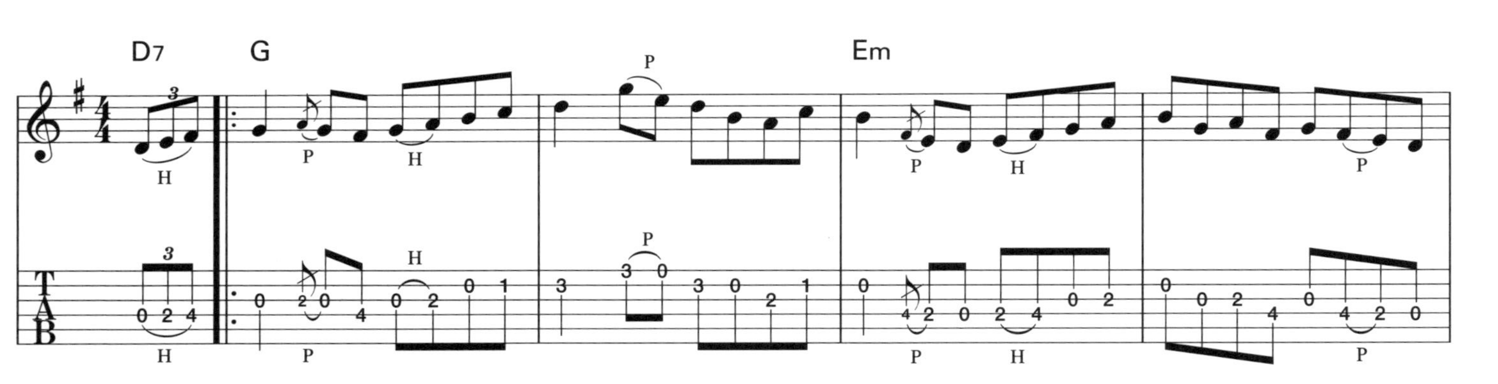

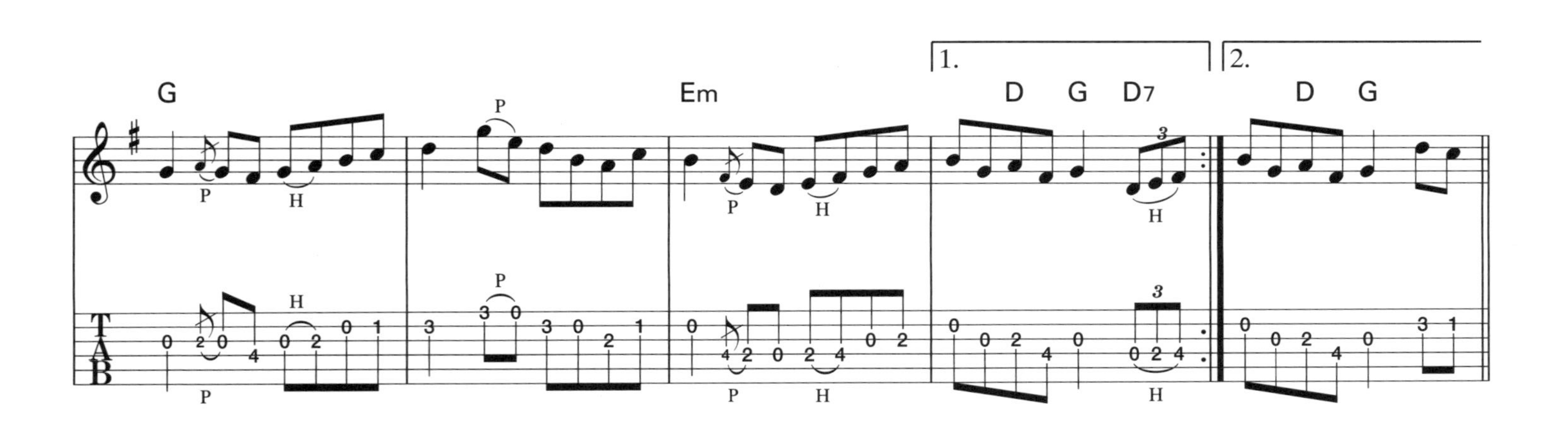

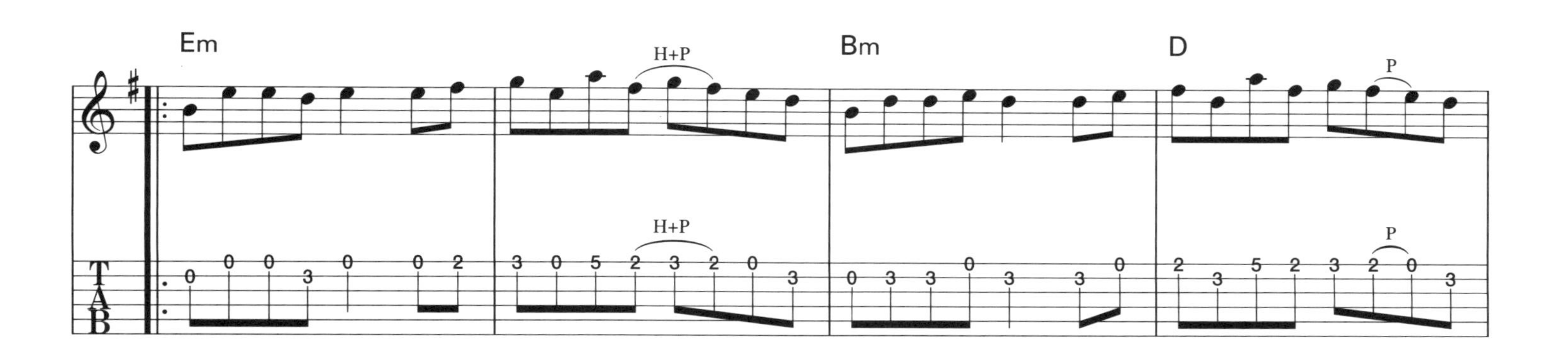
Em
H+P
Bm
D
P

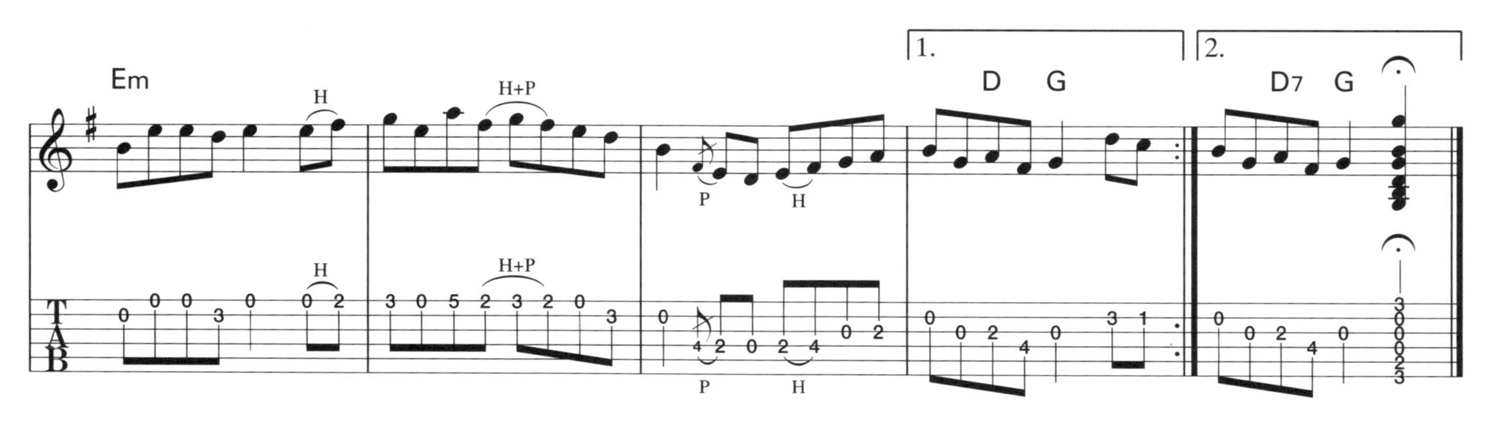
Em
H
H+P
P
H
1.
D G
2.
D7 G

6 Whiskey Before Breakfast

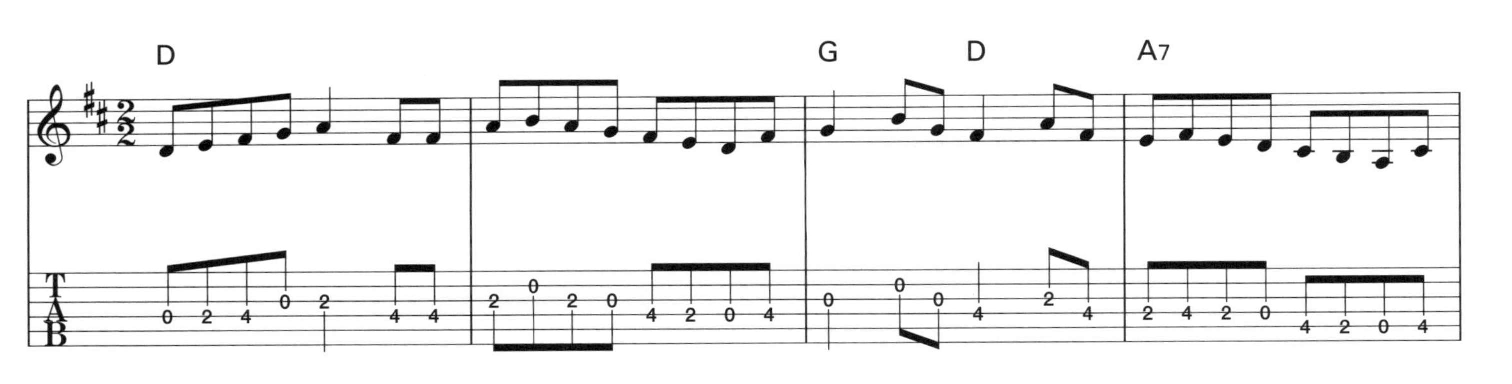

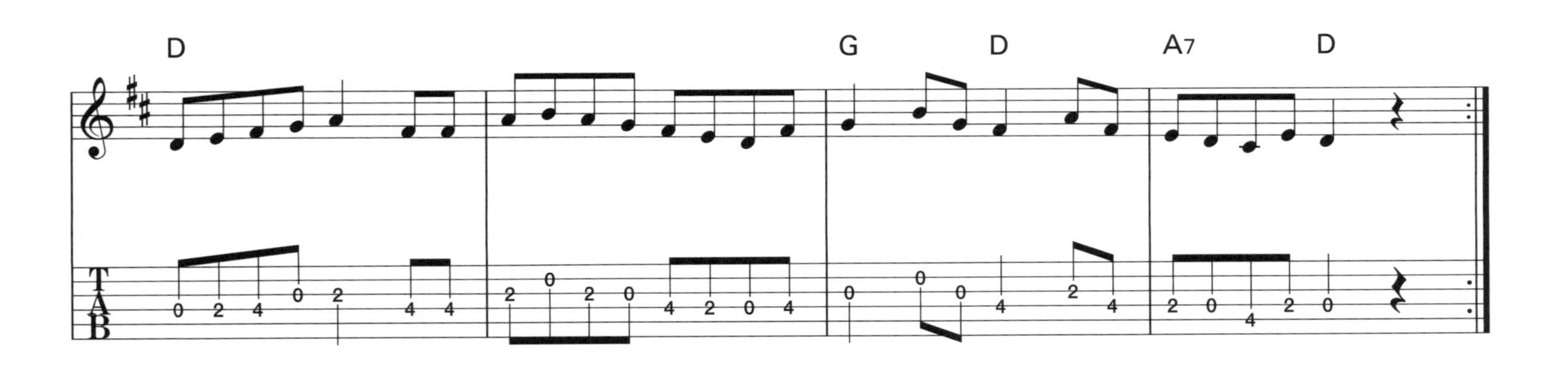

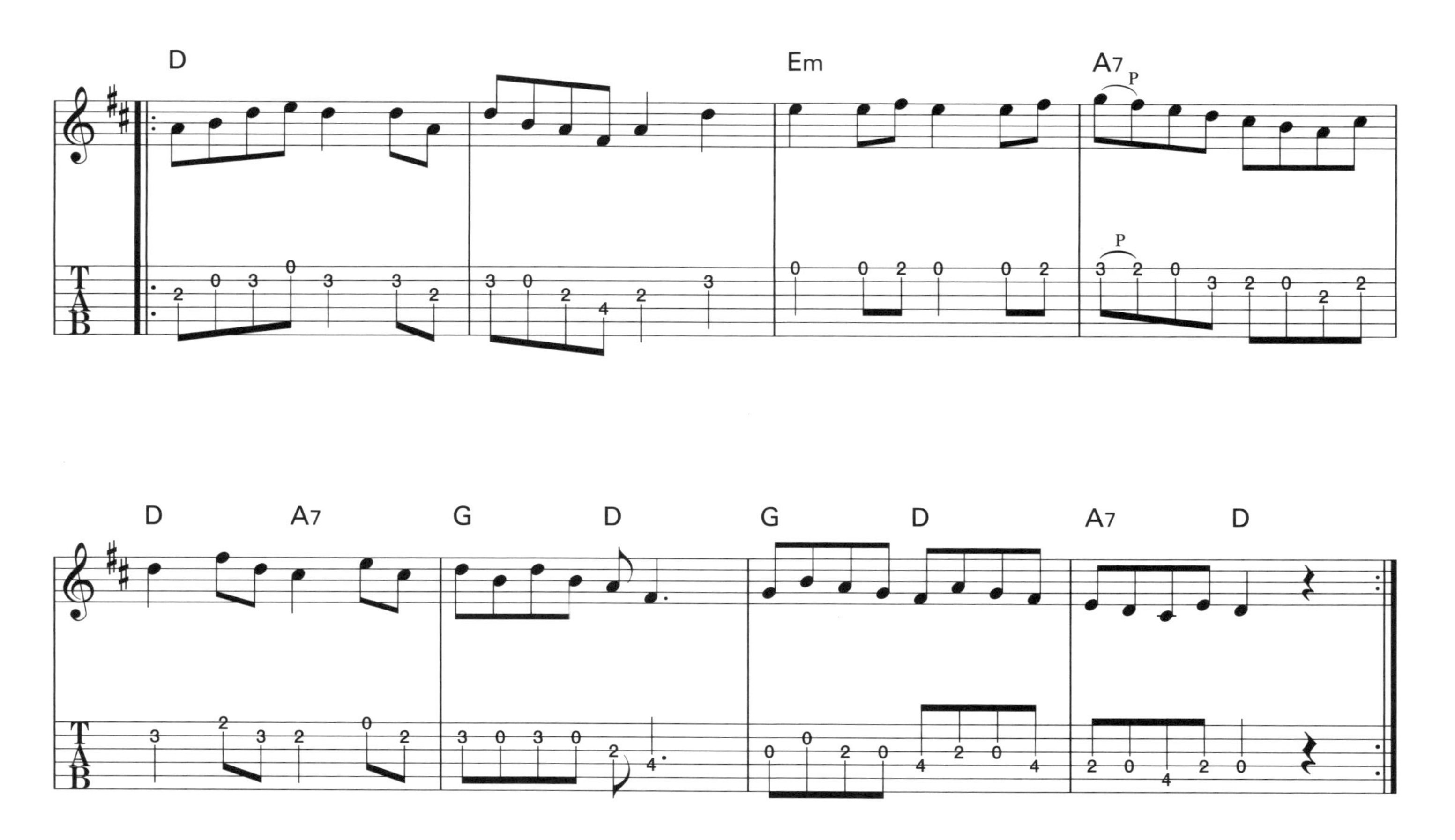
D
Em
A7
P
P
D
A7
G
D
G
D
A7
D

Morrison's Jig

Irish Jig

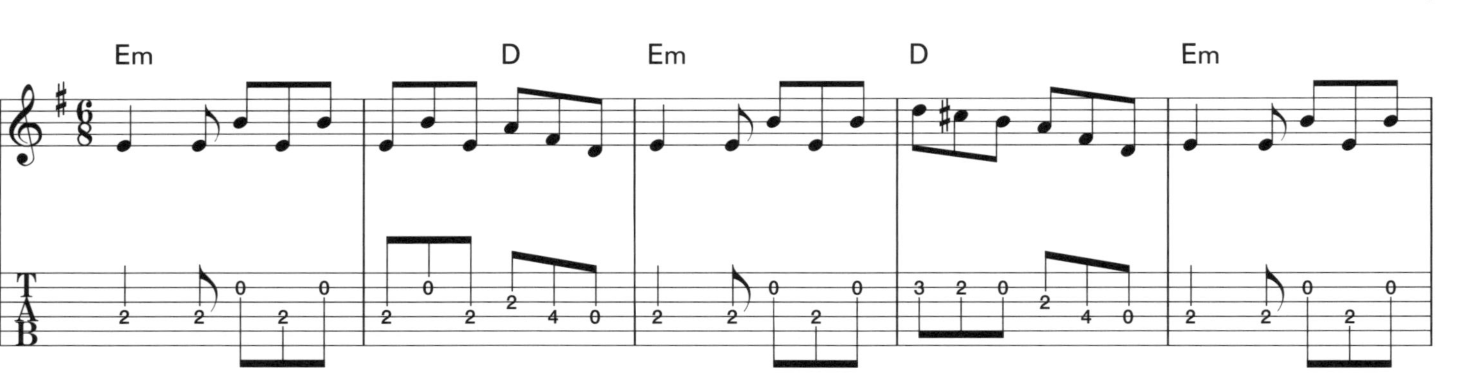

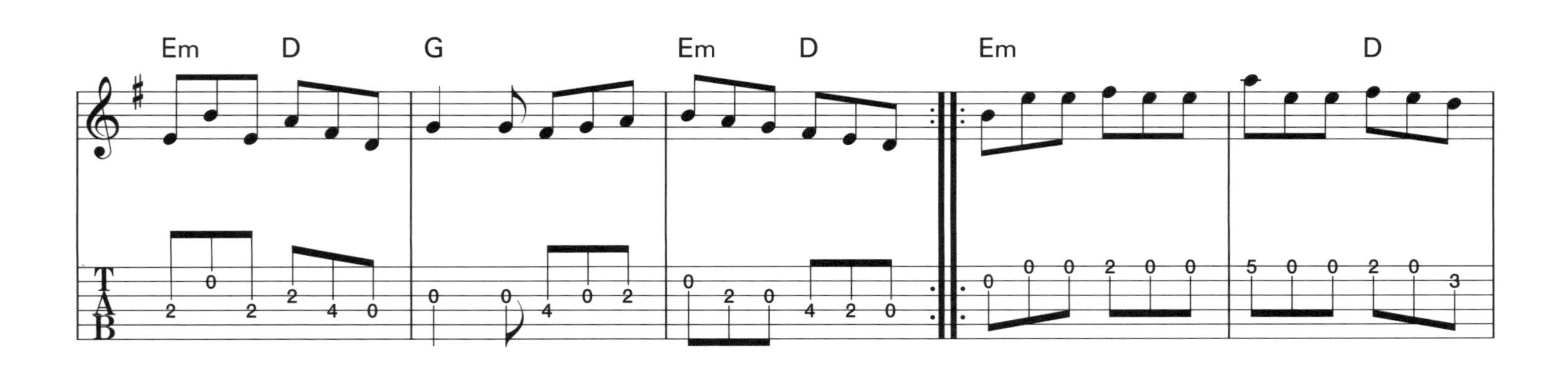

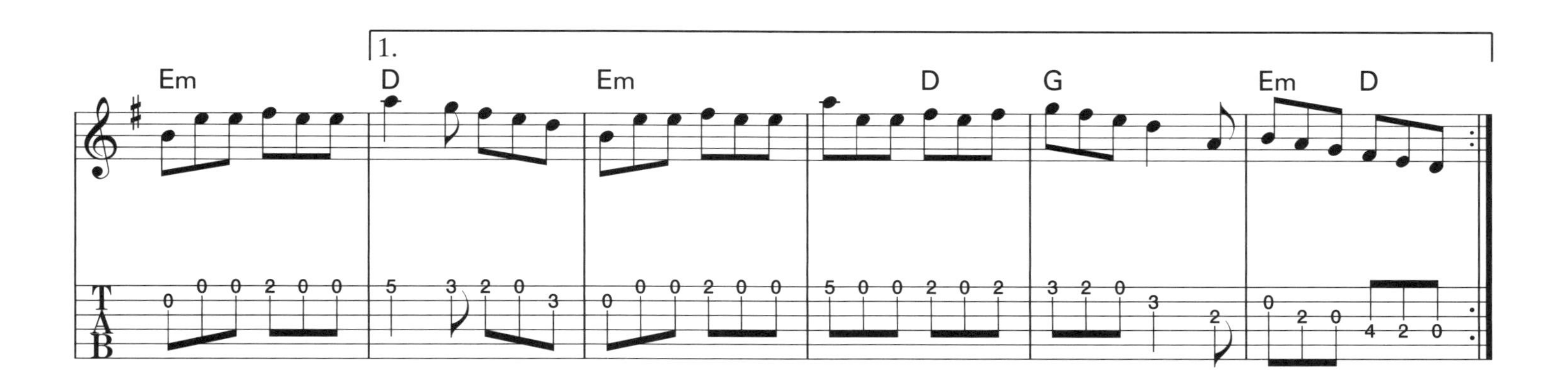
1.
Em
D
Em
D
G
Em
D
TAB

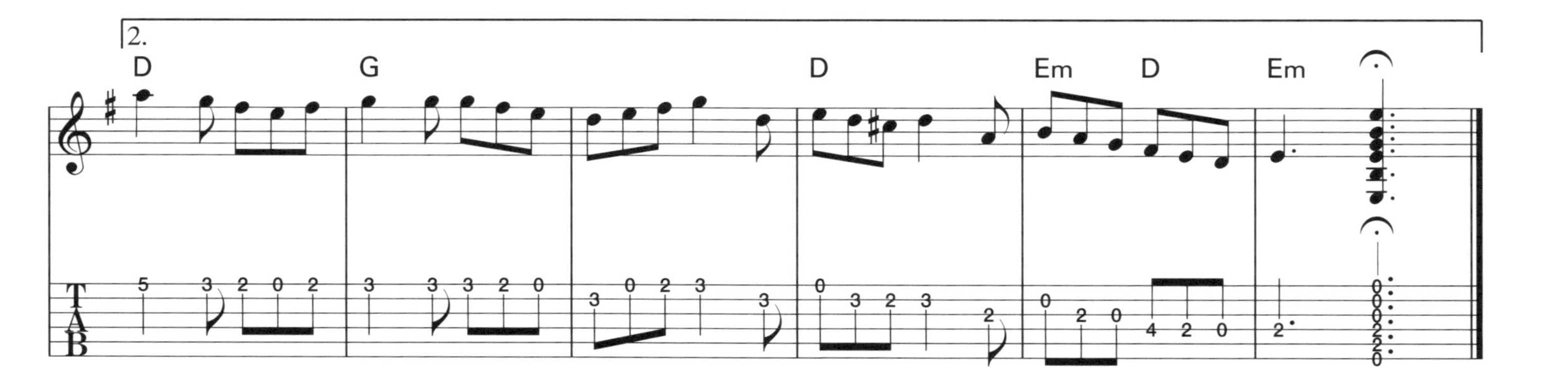
2.
D
G
D
Em
D
Em
TAB

Billy in the Low Ground

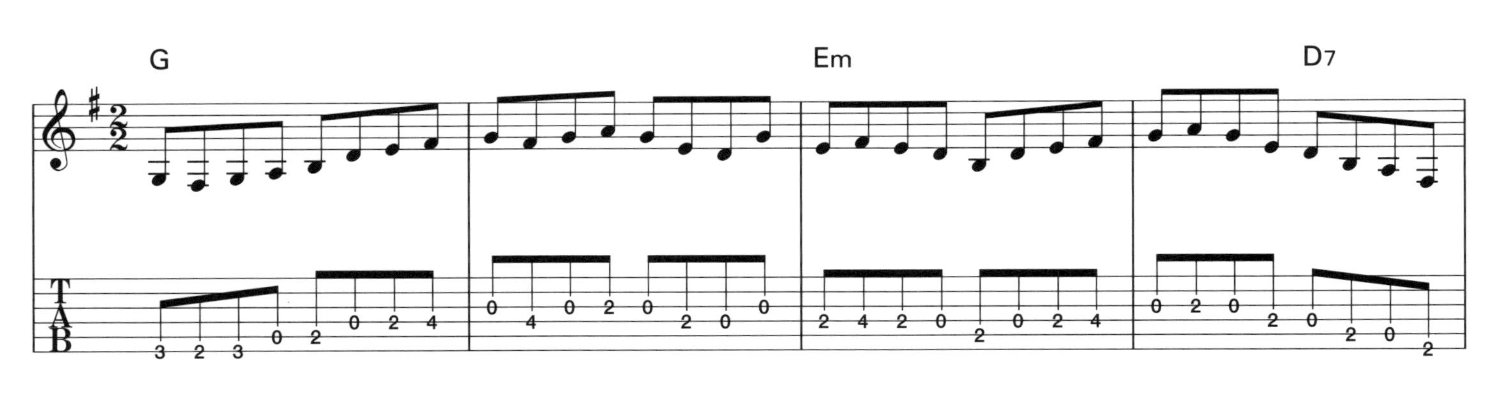

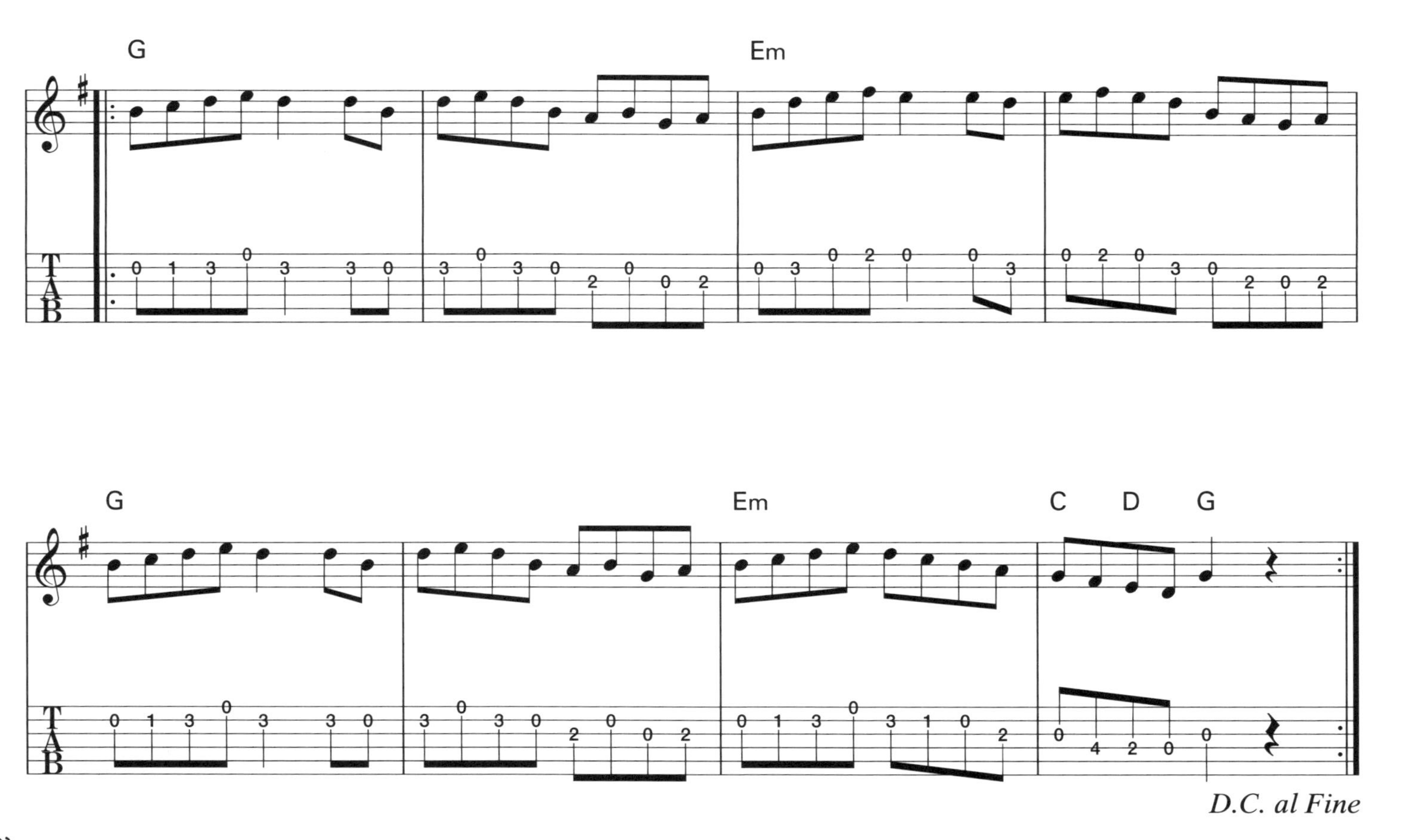
G
Em
G
Em
C
D
G
D.C. al Fine

9 Southwind Waltz

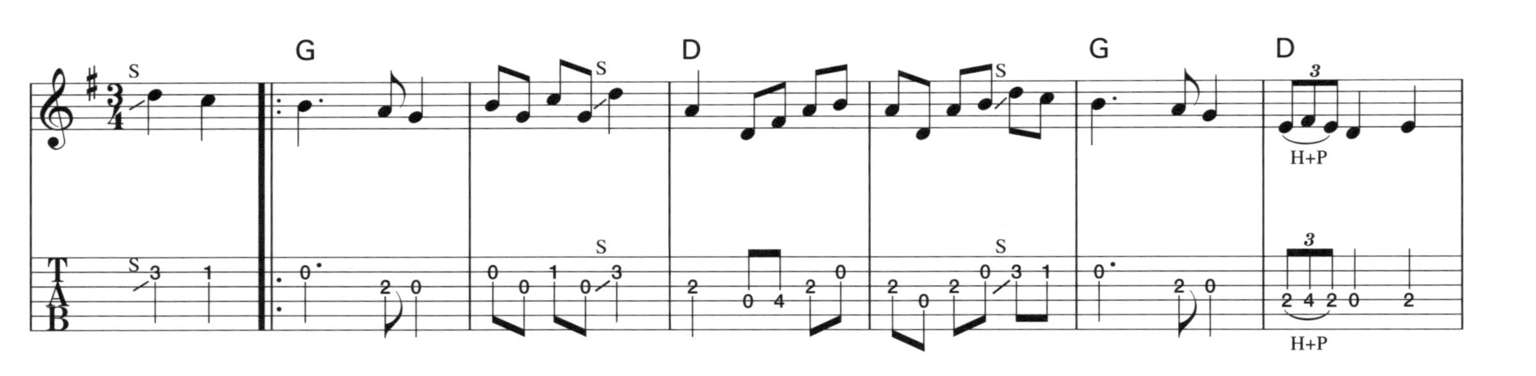

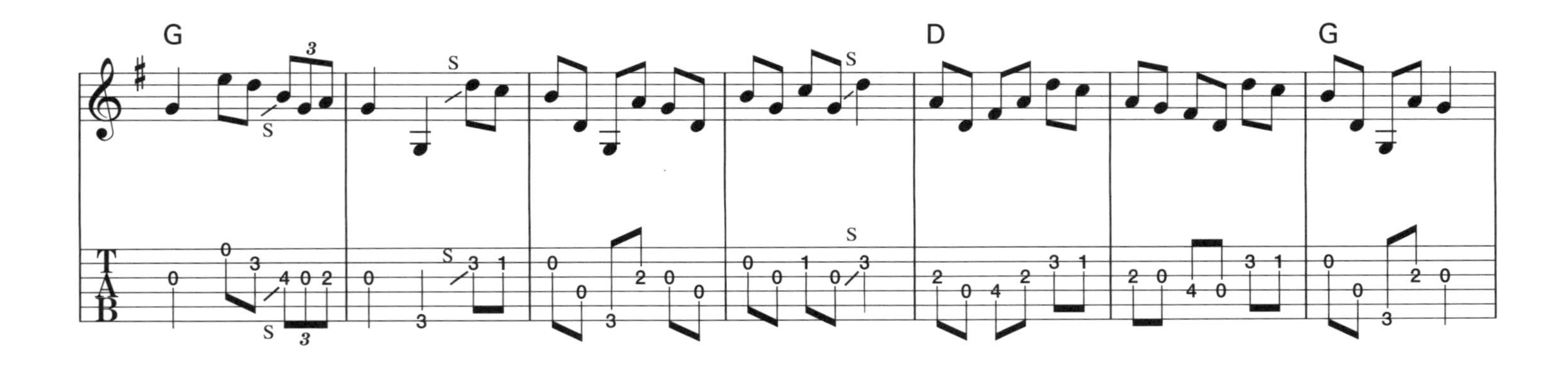

D
G
Em
C
G
H+P
G
D
Em
C
H+P
G
D7
G
D7
1.
G
2.
G

10 Swallowtail Jig

Irish Jig

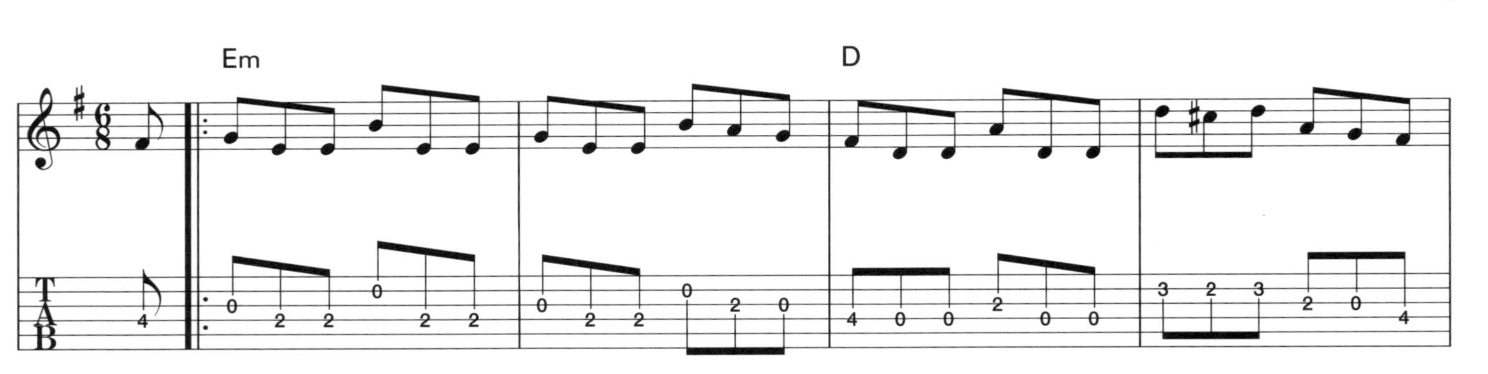

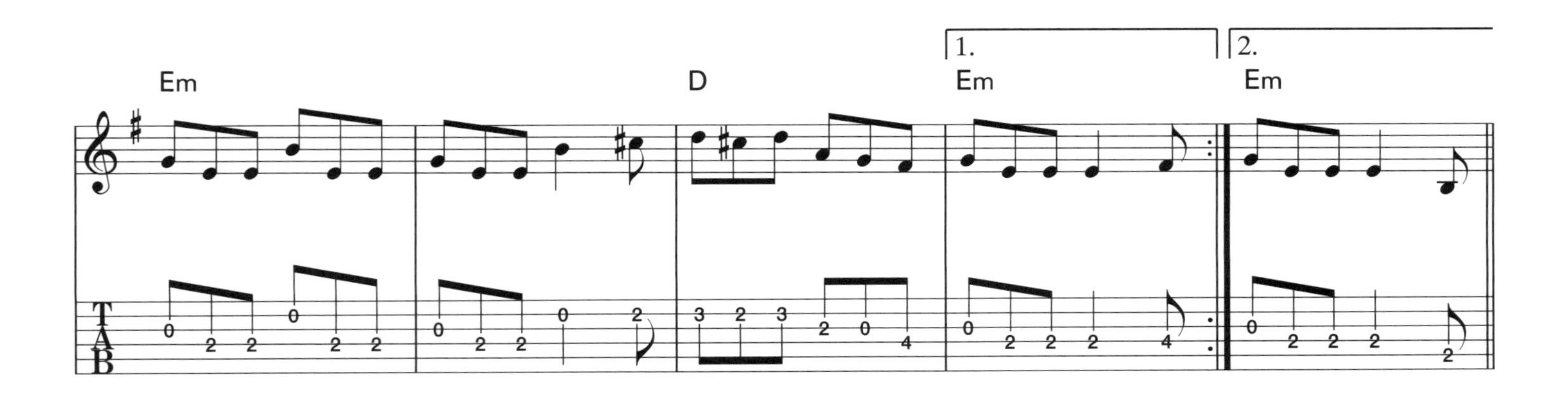

Em
Bm
Em
D
1.
Em
2.
Em

Dixie Breakdown

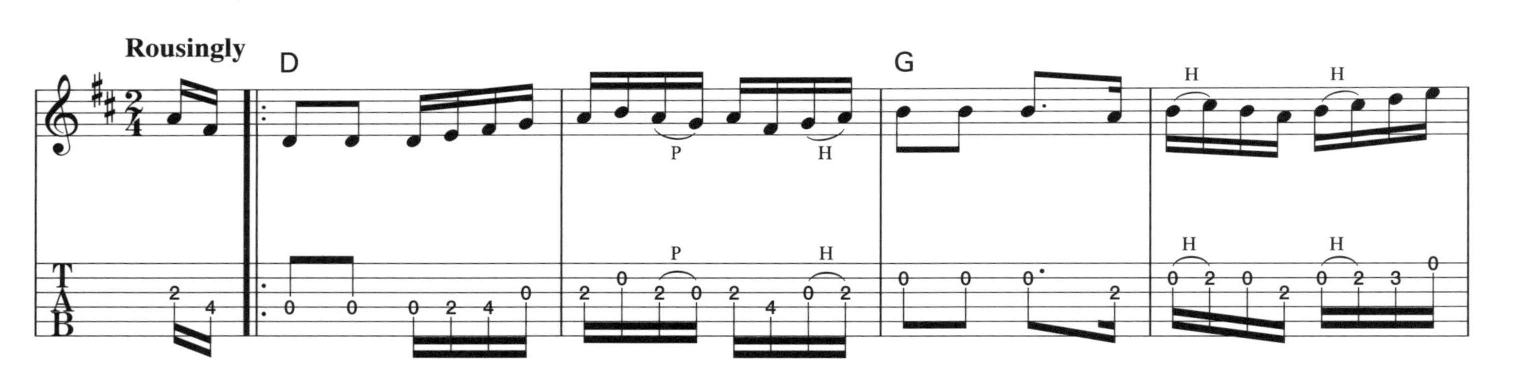

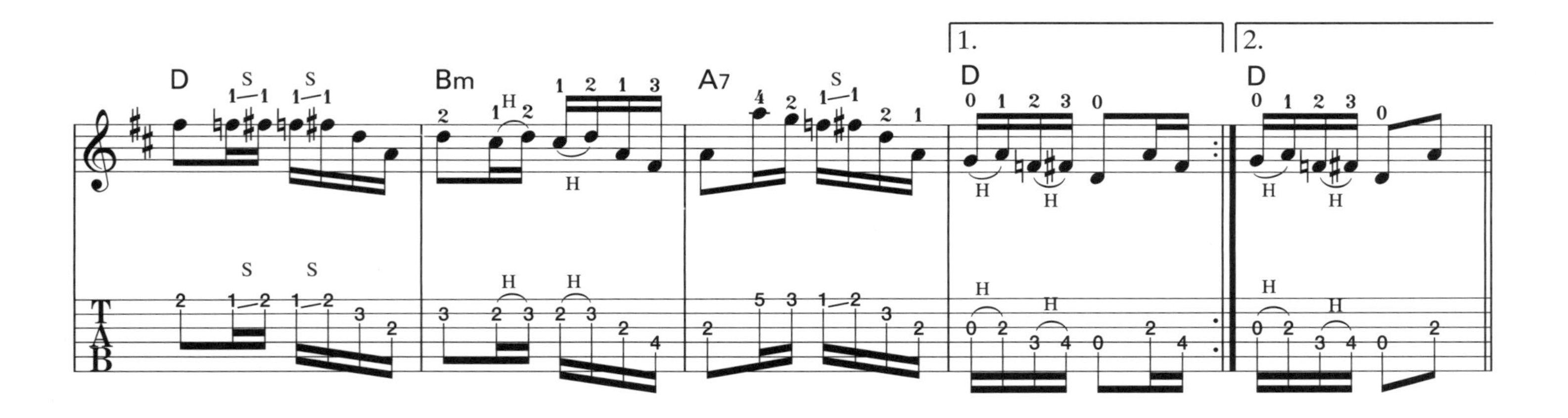

D
G
E
A
A7
D
G
D
A7
D
A7
D
A7
D
Bm
A7
D

Bill Cheathum

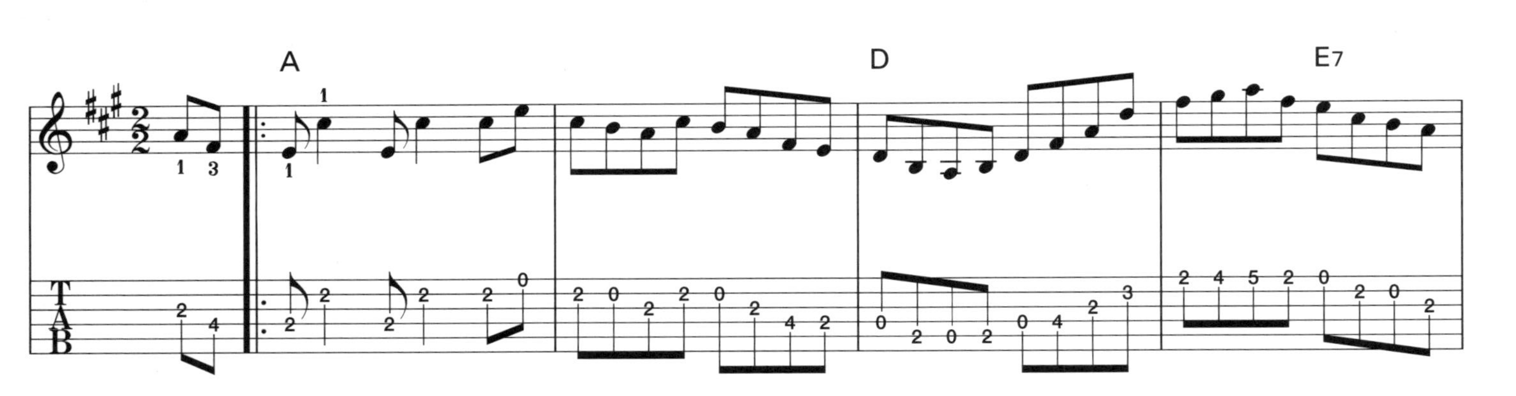

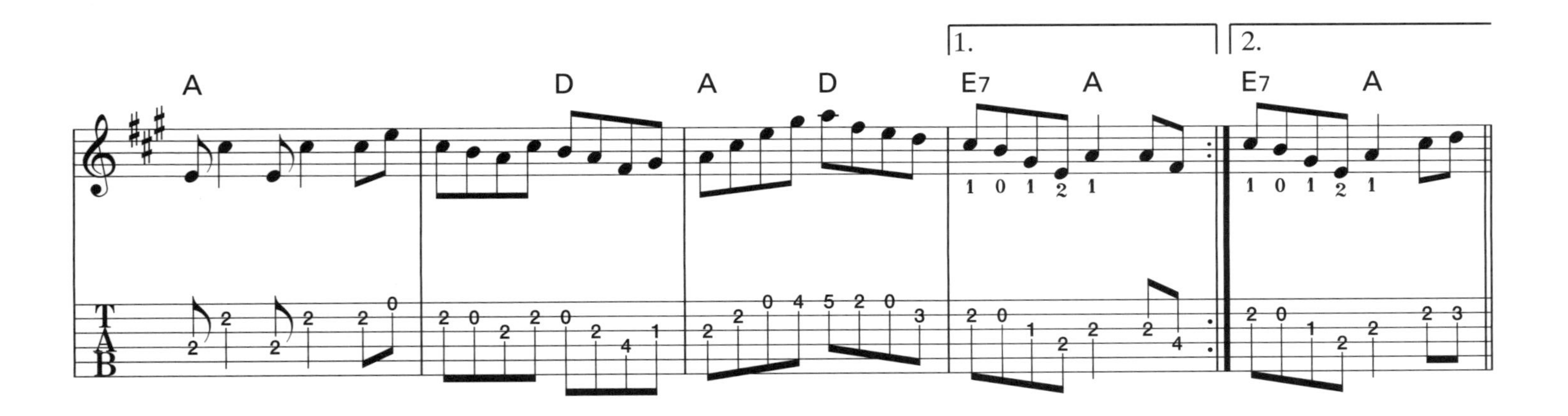

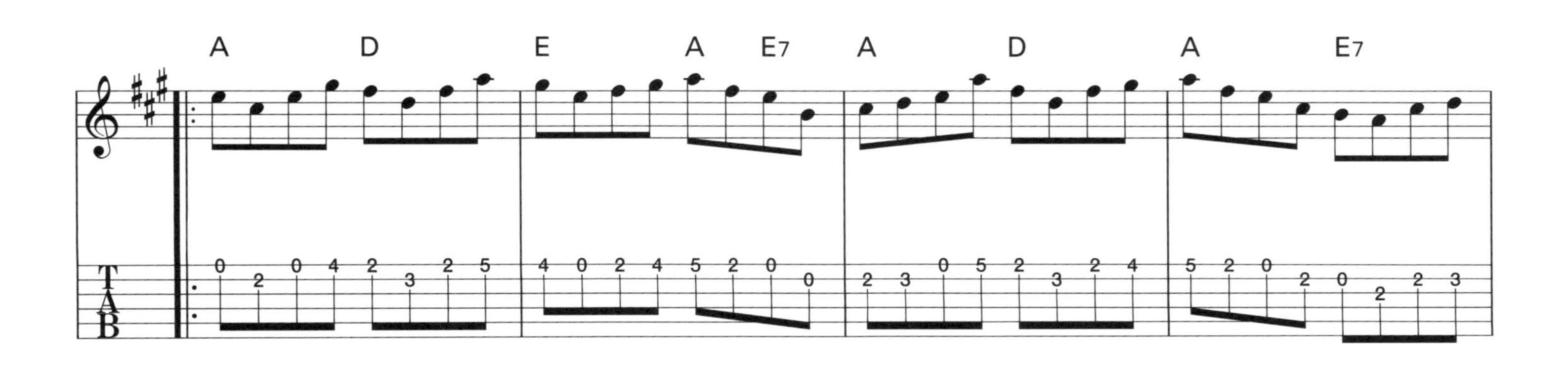
A D E A E7 A D A E7

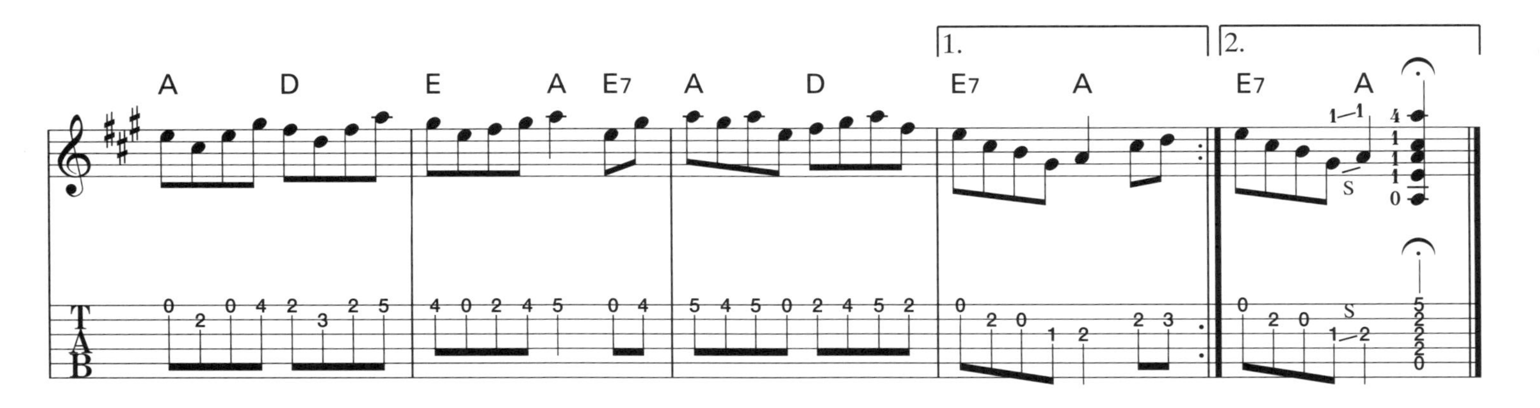
A D E A E7 A D
1. E7 A
2. E7 A

13 Blessed Quietness

Gospel Song

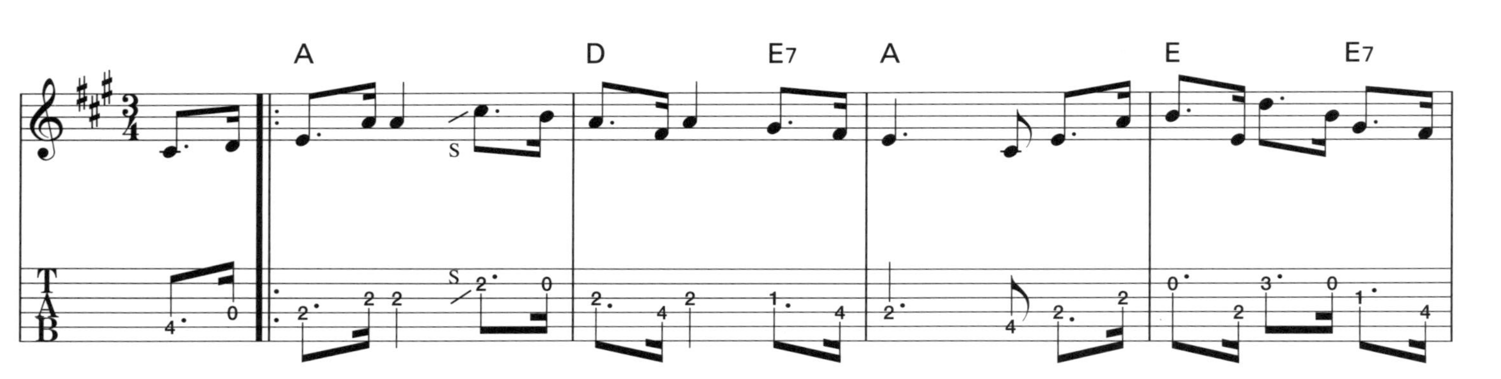

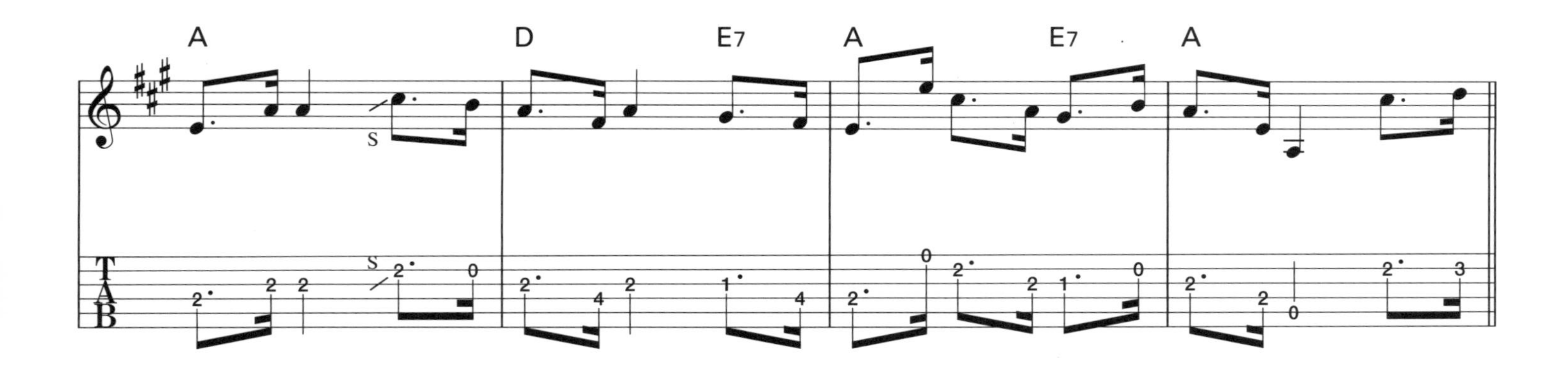

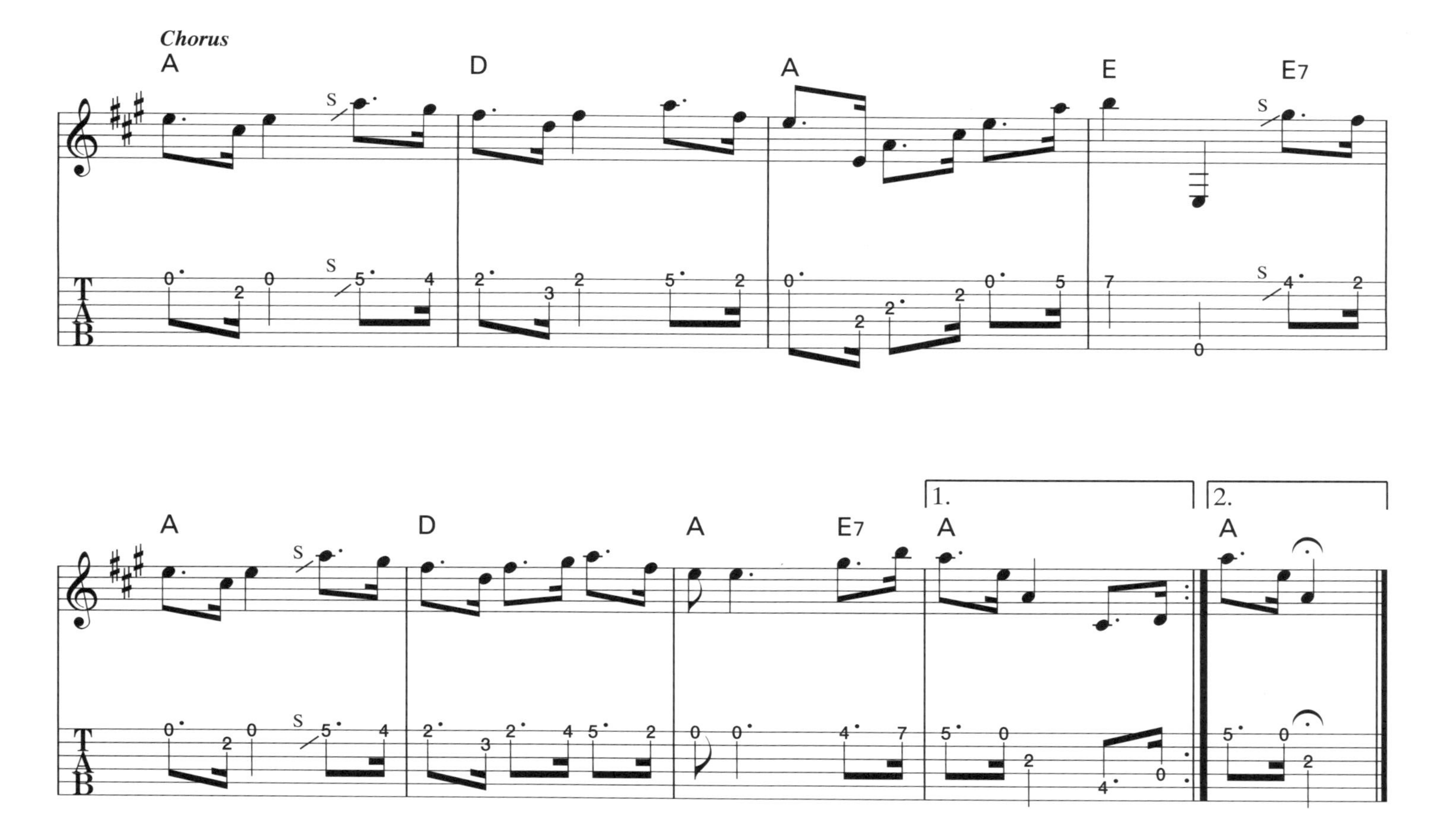
Chorus
A
D
A
E
E7
A
D
A
E7
1.
A
2.
A

Soppin' the Gravy

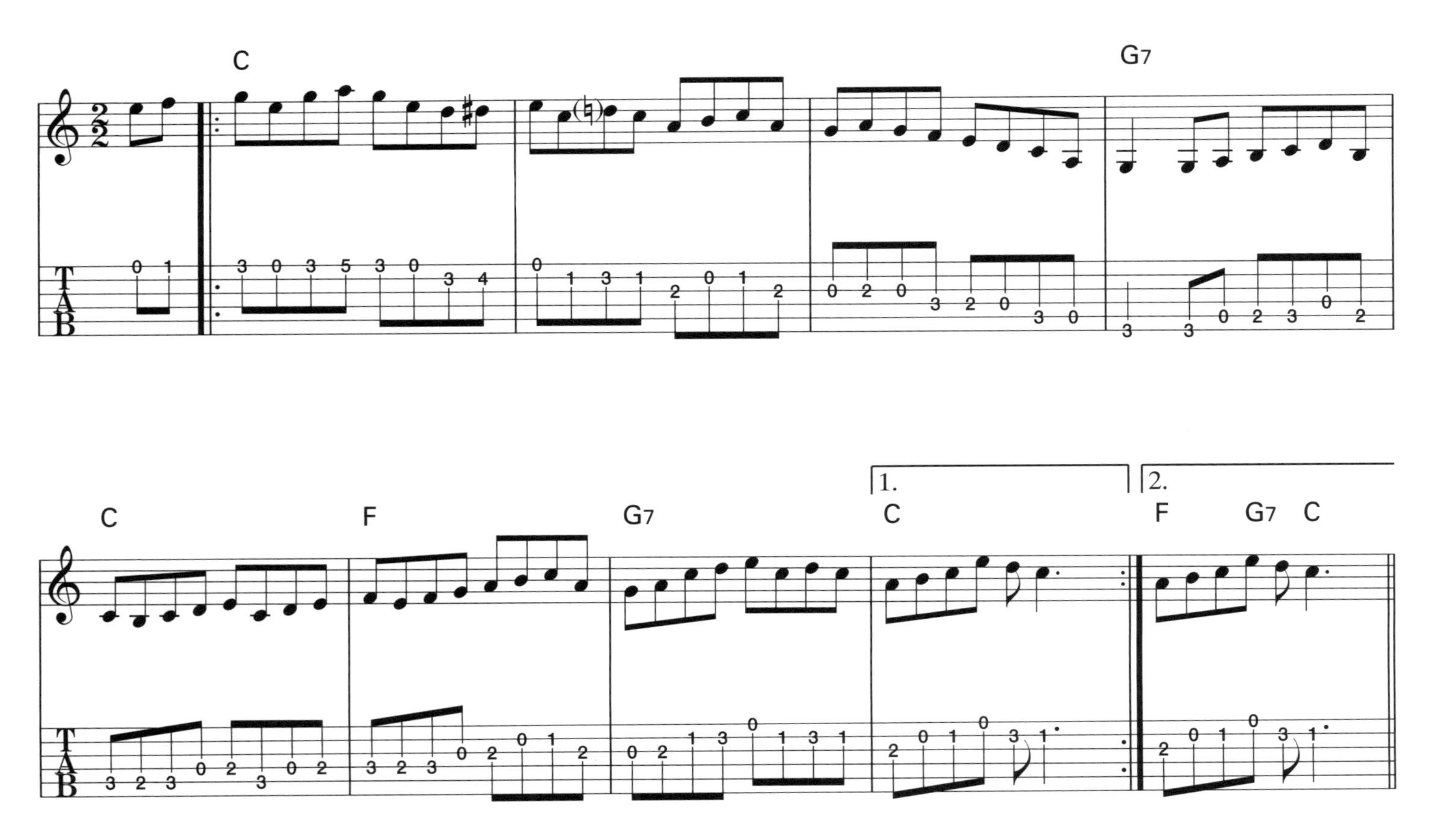

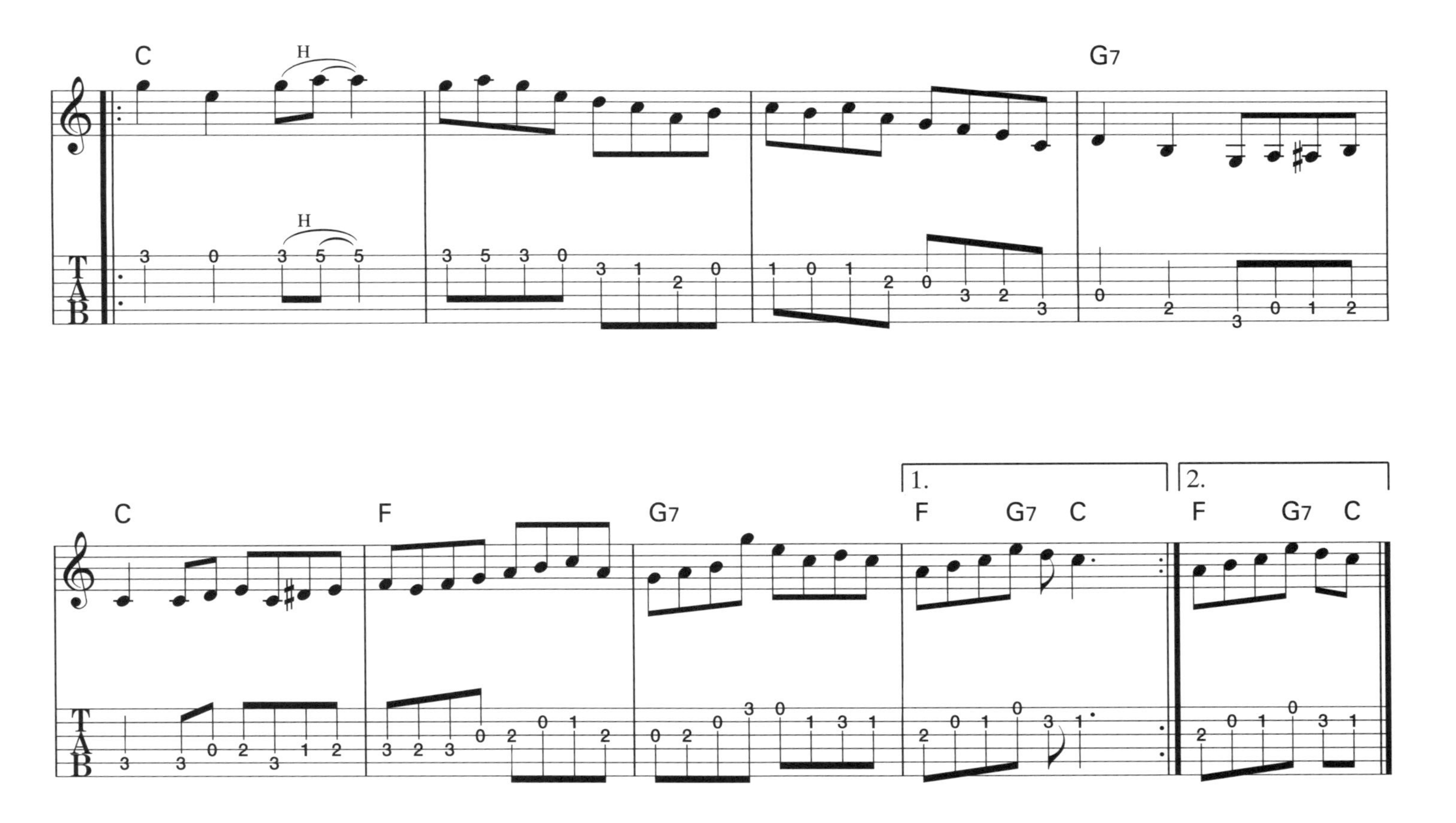
C
H
G7
C
F
G7
1.
F
G7
C
2.
F
G7
C

15

Crazy Creek

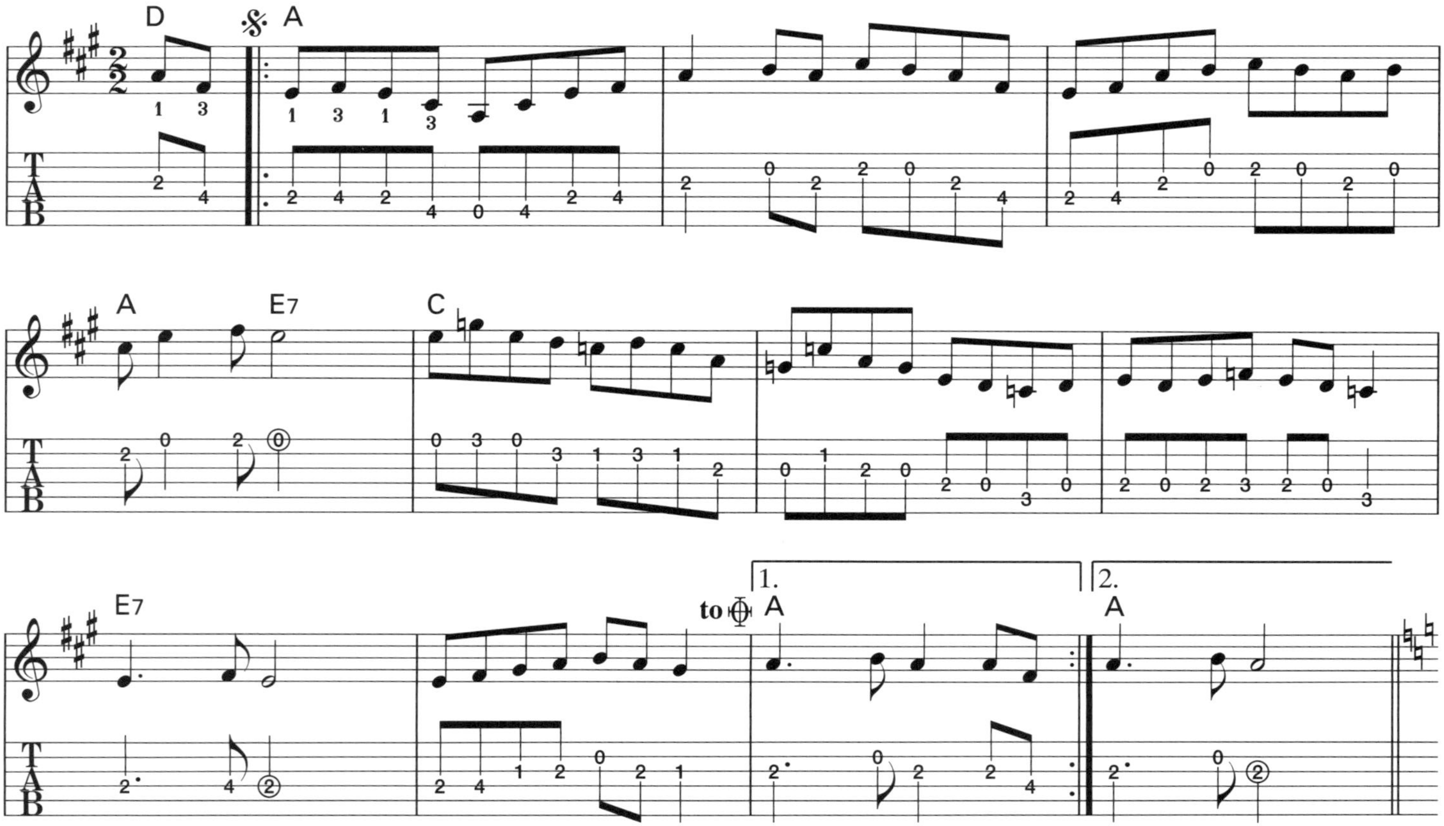

D A
1 3 1 3 1 3

A E7 C

E7 to Φ 1. A 2. A

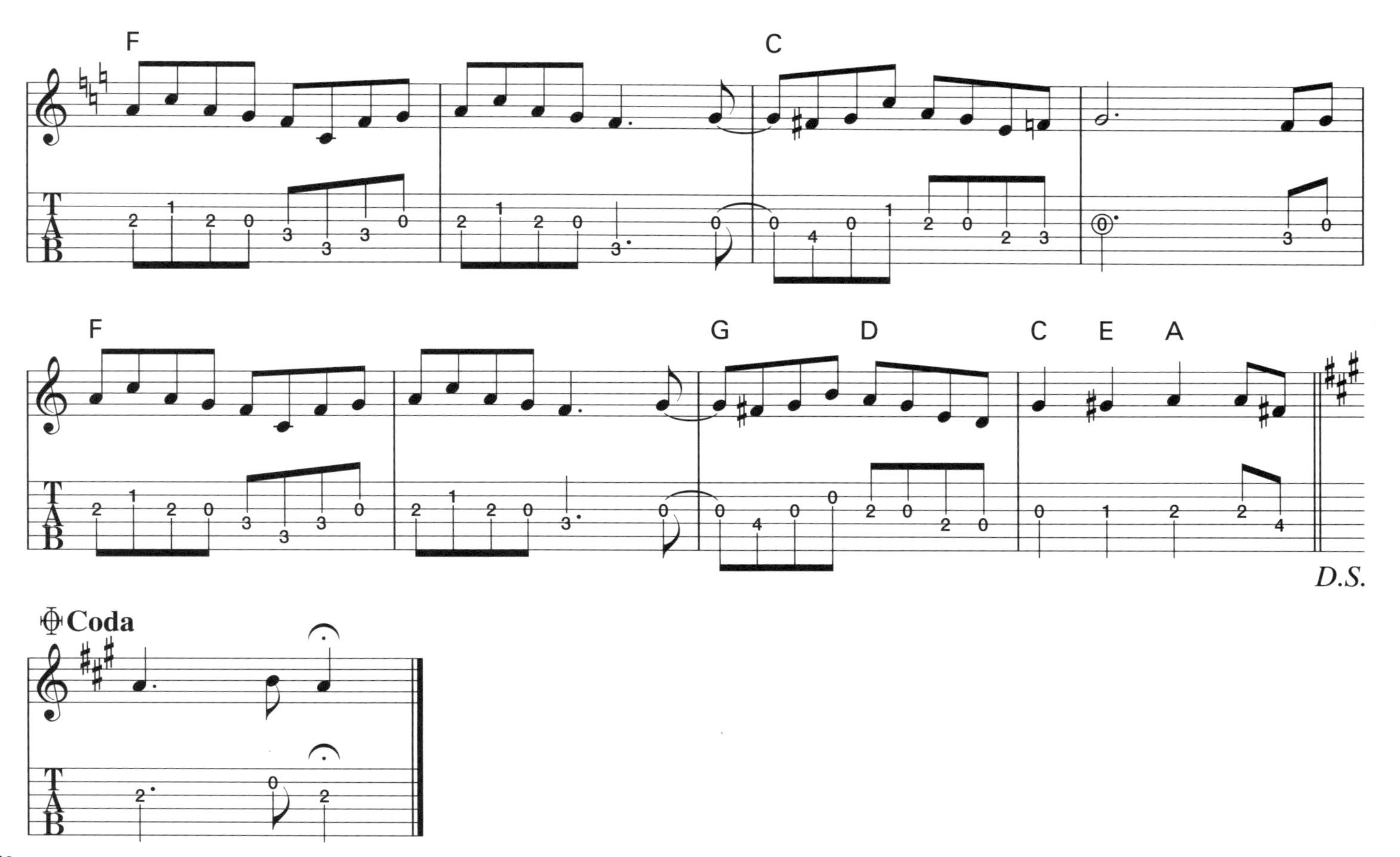
F
C
F
G
D
C
E
A
D.S.
Coda

16

Gladiator Reel

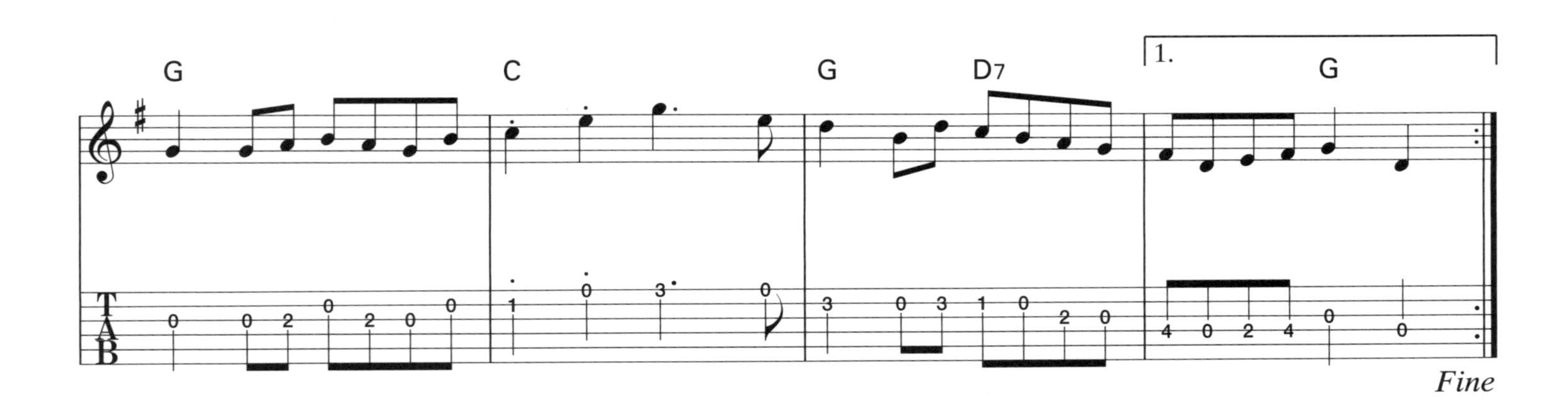

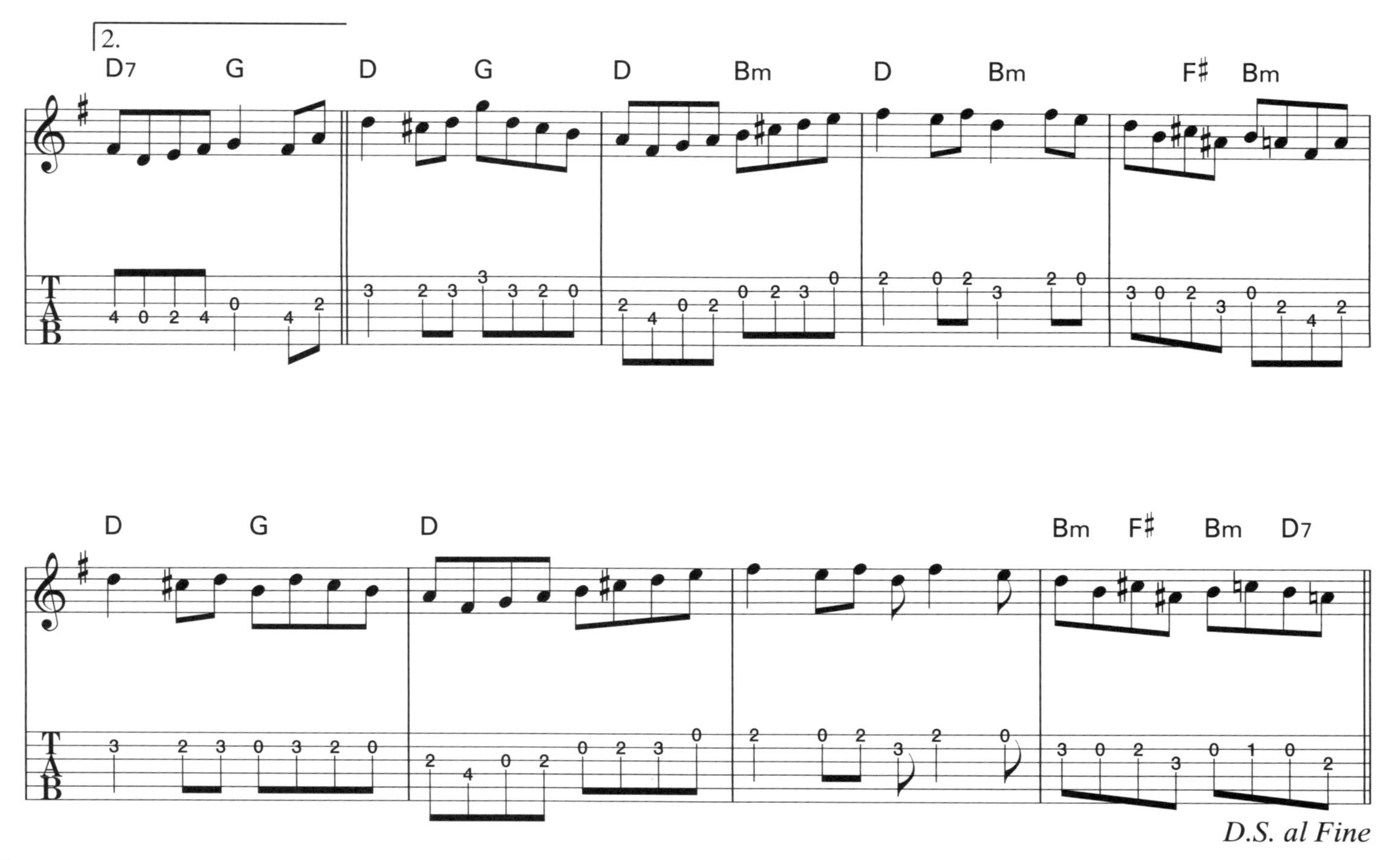
2.
D7
G
D
G
D
Bm
D
Bm
F♯
Bm
TAB
D
G
D
Bm
F♯
Bm
D7
TAB
D.S. al Fine

ギターの記譜

左手のフィンガリング

1＝人差し指　**2**＝中指　**3**＝薬指　**4**＝小指　**Th**＝親指

ハンマリング・オン
最初の音をピッキングした後、別の指で弦を叩くように高い方の音を出す。ピッキングするのは最初の音だけ。

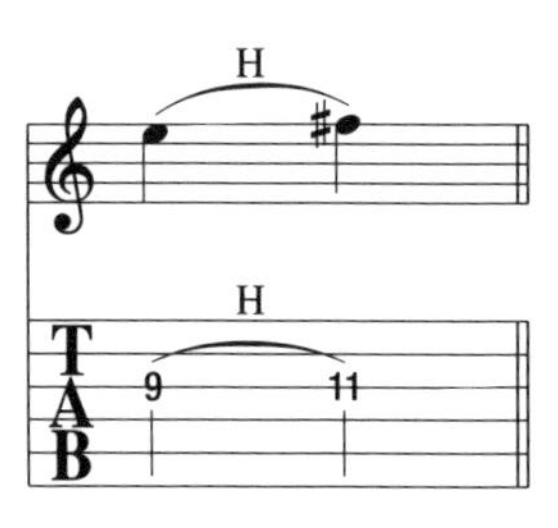

プリング・オフ
最初の音をピッキングした後、別の指で下方向へ弦をひっかくようにして低い方の音を出す。ピッキングするのは最初の音だけ。

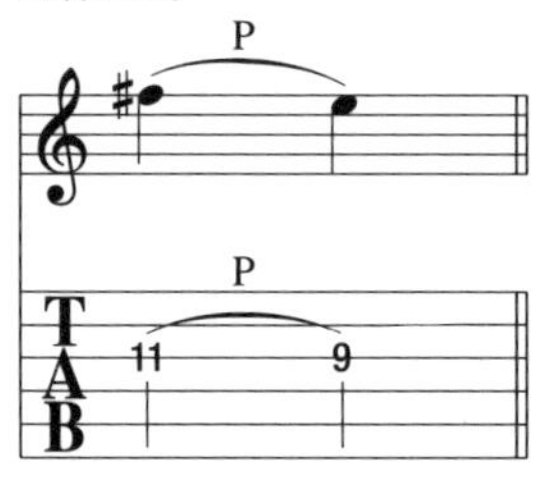

ハンマリング・オン&プリング・オフ
最初の音をピッキングした後、別の指でハンマリング･オンしてその指でプリング･オフする。ピッキングするのは最初の音だけ。逆の場合も同様に行う。

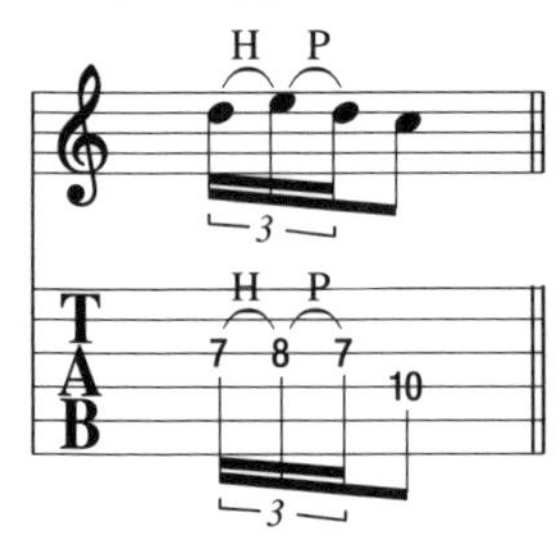

スライド（レガート・スライド）
ピッキングした音、あるいは任意の音から次の音まで、押さえた指を滑らせる。ピッキングするのは最初の音だけ。

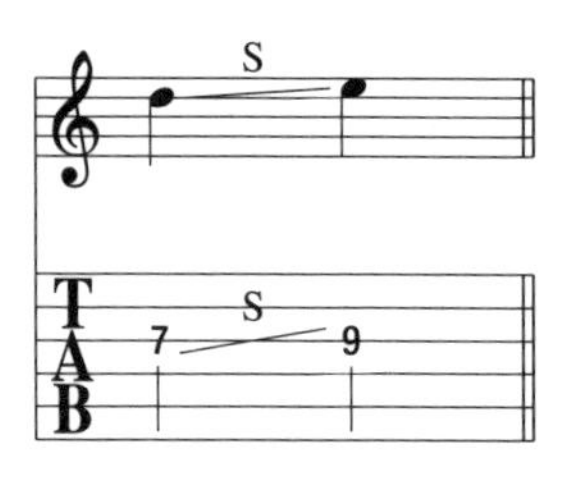

ショート・スライド・アップ
任意の音から指定された音まで、スライドする。

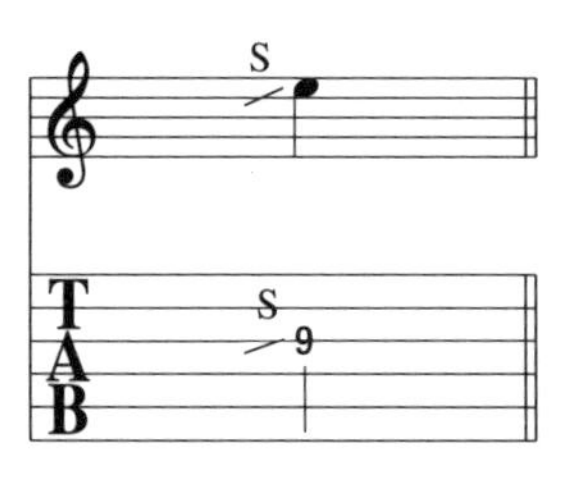

ショート・スライド・ダウン
ピッキングした音、スライド･ダウンする。スライドは特定の音はなく、その長さも自由にできる。

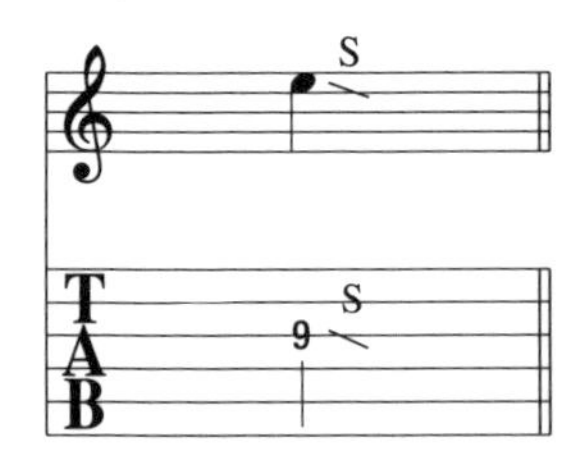

ベンド・アップ
ピッキングの後、指定された音まで弦をベンドする。

ベンド・ダウン
指定された音までベンドしておいてからピッキングし、ベンドをゆるめて元の音程に戻す。

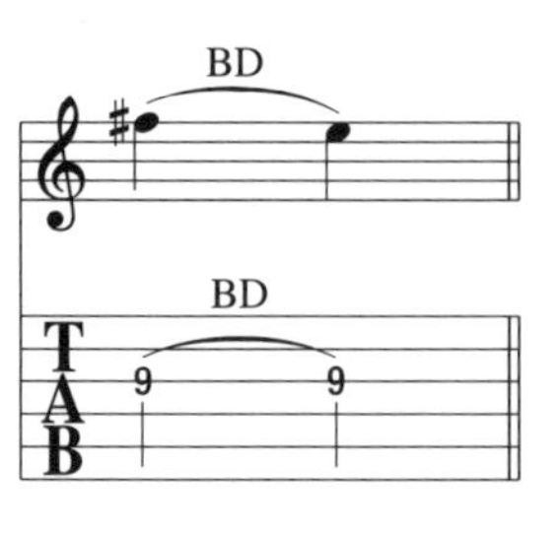

マルチプル・ベンド
ベンド･アップとベンド･ダウンを連続的にくり返す。特に指定がない限り、ピッキングするのは最初の音だけ。

プリ・ベンド&リリース
あらかじめ目標の音までベンドしておきピッキングし、その後ベンド・ダウンで押さえていた音まで戻す。

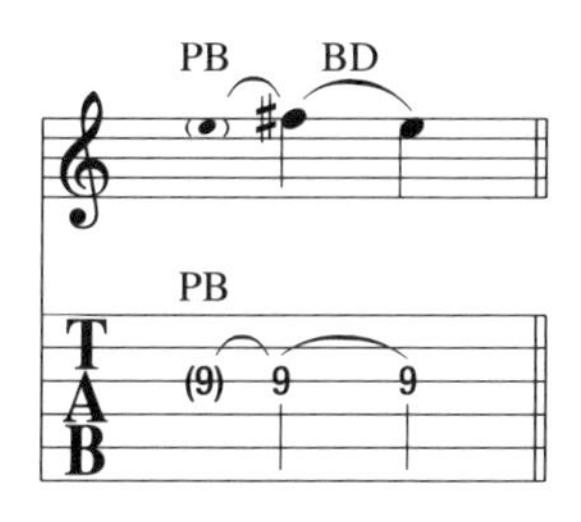

ホールド・ベンド
ベンドした音を持続させたまま他の弦の音をピッキングし、その後ベンドしている音をもう一度ピッキングしベンド・ダウンする。

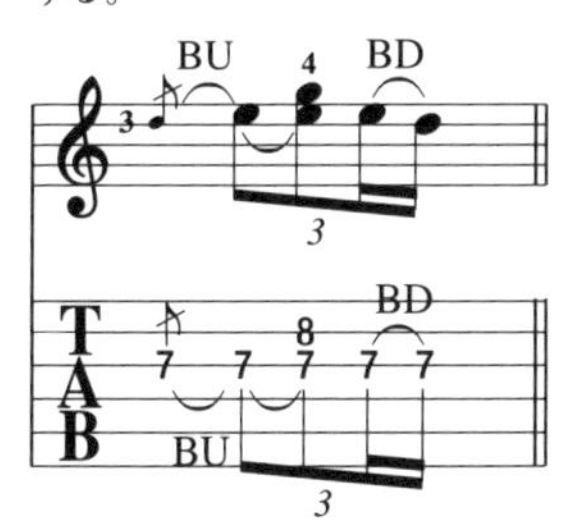

プリ・ベンド&プル・オフ
プリ・ベンドした音をベンド・ダウンしその後プリング・オフで次の音を鳴らす。ピッキングするのは最初の音だけ。

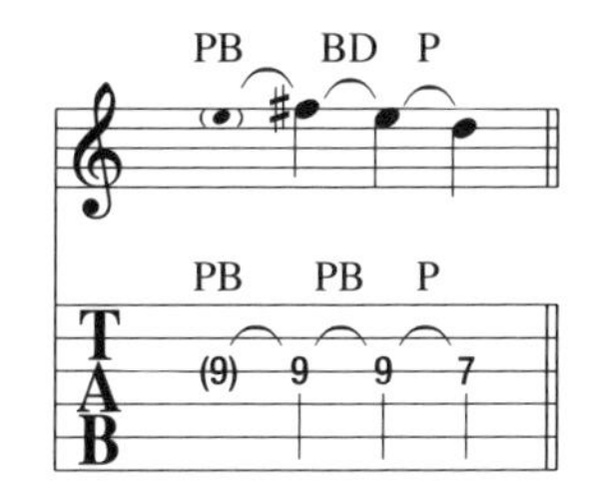

スライト・ベンド(アップ)
ピッキングの後、弦をわずかにベンドして（1フレットの約半分）1/4音程上げる。

スライト・ベンド(ダウン)
弦をわずかに（1フレットの約半分）プリ・ベンドしておき、ピッキングの後ベンドを戻す。

＊ ベンドは楽譜によって表記法が異なることがあります。

ベンド・アップ(またはチョーキング・アップ)＝**BU** → cho、cho.U、cho ↑

ベンド・ダウン(またはリバース・ベンド、チョーキング・ダウン)＝**BD** → cho、cho.D、cho ↓

スライト・ベンド（ハーフ・チョーキングまたはクオーター・チョーキング)＝1/2cho、1/4cho、H.cho、Q.cho

次のページ以降の5線ページは、思いついたメロディー
や覚えたメロディーを書き込むために用意しました。
メモ帳として活用してください。

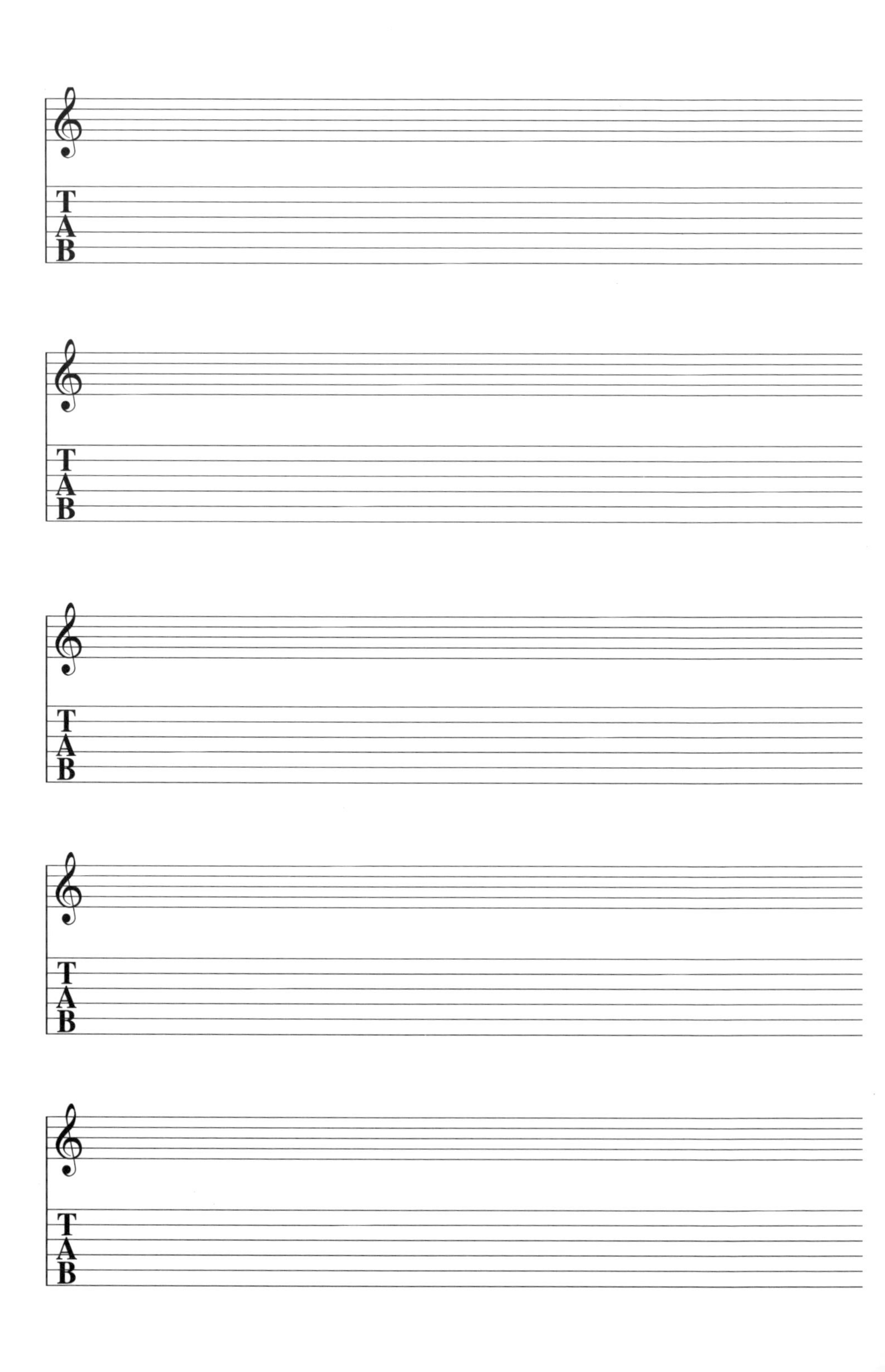
T
A
B
T
A
B
T
A
B
T
A
B
T
A
B

TAB
TAB
TAB
TAB
TAB

新ギター・コード・ブック
定価［本体600円＋税］

フィンガースタイル・ジャズ・ギター
ウォーキング・ベース・テクニック《CD付》
FINGERSTYLE JAZZ GUITAR / TEACHING YOUR GUITAR TO WALK
定価［本体3,000円＋税］

ジョー・パス、タック・アンドレス、マーティン・テイラーをはじめとする、ソロ・ギターの名手の得意技、ウォーキング・ベース・テクニックをマスターする。

◉ベース・ラインとコードをブレンドして、ひとり2役を演じる、ジャズ・ギターのもっとも魅力的な奏法の基礎を学ぶ◉初めてこの奏法にチャレンジする人にも、エクササイズを順に練習していくだけで、自然に、また確実に習得できるようにプログラムされている◉豊富なエクササイズと練習曲を、TAB譜とCDで楽しくマスター◉ジャズ・ギタリストでないあなたにも、効果的に応用できる

【内　容】
基本テクニック／ブルース進行／ルートへのアプローチ／メトロノームの効果的な使い方／ガイド・トーン／ラテン・タイプのコード進行／II - V - I 進行／コード・ヴォイシング／ドミナント7thサイクル／ラグタイム・テクニック／スウィング・テクニック／ジャズ・ブルース進行／パラレル・コード進行

J.S.バッハ・フォー・エレクトリック・ギター《CD付》
J.S. BACH FOR ELECTRIC GUITAR
定価［本体2,500円＋税］

J.S.バッハ＝それは現代に至ってもなお、ミュージシャンにとって無縁でいられない偉大な存在
すべてのギタリスト必携のバッハ名曲集

◉バッハの芸術を体験し、演奏テクニック（ライト・ハンド、ピックと指のコンビネーション、右手と左手のコンビネーションなど）、イヤー・トレーニング、フレージングなどの効果的な練習ができる◉イングヴェイ・マルムスティーン、ランディ・ローズ、リッチー・ブラックモアなども学んだバッハを弾いて、作曲やインプロヴィゼイションのスキル・アップをしよう◉ギタリストにとって、バッハはとっておきの練習材料になる◉CDの模範演奏は、超一流のギタリストがプレイ（by John Kiefer）◉全曲TAB譜付。

ホールトーン・スケールで弾く

ジャズ・ギター・リックス《CD付》

JAZZ GUITAR LICKS IN TABLATURE

定価［本体3,000円＋税］

パット・マルティーノやスティーヴ・カーンも推薦する、本書「ジャズ・ギター・リックス」は、フレットボードに隠されたホールトーン・スケールの美しさを知ってもらい、今までにないホールトーンのアイディアとその応用を紹介している。

- ドミナント7th(♭5)とドミナント7th(♯5)のコード上で弾くといった、ホールトーン・スケールの今までの使い方から抜け出るには、モダンなインプロヴァイズへのまったく新しい道へ心を開くこと。本書では、インプロヴィゼイションの幅を拡げるのに役立つホールトーンのコンセプトをタップリ収録。
- ホールトーン・スケールは、全音だけで成り立つスケールで、そのため、フレットボード上で探すのことは容易にできる。しかし実際は、均一で密集しているので、ギターでホールトーン・パターンを弾くのは時どき混乱することがある。本書はそんな悩みをいっきに解決してくれる。
- 本書の焦点は、フュージョン・スタイルのインプロヴィゼイションに基礎を置いている。また、これらのフレーズは、スタンダード・チューンによくマッチする。
- 1小節から2小節の短いフレーズから始め、それをつなぎ合わせてオリジナルのリックを創る。
- CDには、本書に掲載の162例を限界まで収録（75分）。リックの宝庫として十分に活用できる。

輸入楽譜／日本語翻訳解説書付

グレイト・ギタリスト・オブ・アメリカ《CD付》

GREAT GUITARISTS OF AMERICA

● *Tony Rice*, *Russ Barenberg*, *Artie Traum*, *John Miller*, *Guy van Duser*, *Norman Blake*, *Mark O'Connor*, *Eric Schoenberg*, *Jon Sholle*, *Dan Crary*, *Darol Anger*, *Mike Marshall*, *Bob Brozman*, *Clarence White*といったアコースティック・ギターの名手たちが1965年から86年にかけて、Rounderレーベルに残した名演をCDとTAB譜付楽譜で掲載

クリスマス・フォー・ギター《CD付》

CHRISTMAS MUSIC FOR ACOUSTIC GUITAR

● クリスマスの名曲を、フィンガースタイルのアコースティック・ギター（ナイロン弦/スチール弦）ソロ用にアレンジ ● クラシック・ギターの記譜法による楽譜とTAB譜で、CDを聴きながら楽しく演奏できる ● オーソドックスで豊かなハーモニーを感じさせる上質のアレンジと演奏 ● CDの演奏も十分に堪能できる仕上がりになっている

フィンガーピッキング・クリスマス《CD付》

PORTRAITS OF CHRISTMAS FOR FINGERSTYLE GUITAR

● *Alex de Grassi*, *Harvey Reid*, *Muriel Anderson*, *Billy McLaughlin*, *Ed Garhard*, *Rick Foster*, *El McMeen*, *Laurence Juber*, *Gary Lowry*, *Jay Leach*, *John Standefer*, *Jonathan Burchfield*など、ウィンフィールド・ウィナーズでおなじみのフィンガーピッカーたちが、クリスマスの名曲をアレンジし、絶妙のテクニックと洗練されたセンスを披露 ● CDとTAB譜付楽譜で彼らのプレイをタップリと堪能しよう

QWIKGUIDE™

クイックガイド•シリーズ

ロック・ギター・ライン《CD付》
FAMOUS ROCK GUITAR LINES
カントリー・ギター・ライン《CD付》
FAMOUS COUNTRY GUITAR LINES
ブルース・ギター・ライン《CD付》
FAMOUS BLUES GUITAR LINES
フィンガースタイル・ブルース・ギター・ソロ《CD付》
GREAT BLUES SOLOS
ジャズ・ギター・チューン《CD付》
JAZZ TUNES
フラットピッキング・ギター・ウォーミング・アップ《CD付》
GUITAR WARM-UP STUDIES AND SOLOS
フラットピッキング・ギター・テクニック《CD付》
TUNES FOR GUITAR TECHNIQUE
フラットピッキング・ギター・チューン《CD付》
FAVORITE GUITAR PICKIN' TUNES
フィンガーピッキング・ギター・チューン《CD付》
GREAT FINGERPICKING TUNES
ブルース・ベース・ライン《CD付》
FAMOUS BLUES BASS LINES
ベーシストのためのウォーム・アップ・エクササイズ《CD付》
BASS WARM-UPS
ビルディング・ベース・テクニック《CD付》
BUILDING AMAZING BASS TECHNIQUE
ジャズ・ベース・ライン《CD付》
FAMOUS JAZZ BASS CHORD PROGRESSIONS
ドラマーのためのウォーム・アップ・エクササイズ《CD付》
15-MINUTE WARM-UPS FOR DRUMS
ドラマーのための16ビート・エクササイズ《CD付》
DRUM SET DAILIES/RUDIMENTAL APPLICATION FOR DRUM SET
ブルース・ハープを吹こう《CD付》
BASIC BLUES HARP
クロマティック・ハーモニカを吹こう《CD付》
BASIC CHROMATIC HARMONICA
5弦バンジョー・ソロ曲集《CD付》
FAMOUS BANJO PICKIN' TUNES

【近刊予定】

以下は仮タイトルです。ご注文・ご予約の際は英語のタイトルを参考にしてください。

（2001年9月現在）

スラップ・ベース・テクニック《CD付》
50 MODAL SLAP BASS WORKOUT
ベーシストのためのタッピング・テクニック《CD付》
50 TWO-HAND TAPPING WORKOUTS FOE BASS
ロック・ギター・トリック・テクニック《CD付》
AMAZING ROCK TRICKS
ロック・ギター・スケール《CD付》
ESSENTIAL ROCK SCALES
ロック・ギター・コード進行《CD付》
FAMOUS GUITAR CHORD PROGRESSIONS
ロック＆ブルース・ベース・プログレッション《CD付》
FAMOUS ROCK and BLUES BASS PROGRESSIONS

by Larry McCabe
FAMOUS ROCK GUITAR LINES
QWIKGUIDE
ATN, inc.

FAMOUS COUNTRY GUITAR LINES
by Larry McCabe
QWIKGUIDE

by Larry McCabe
FAMOUS BLUES GUITAR LINES
QWIKGUIDE
ATN, inc.

by Larry McCabe
FAMOUS BLUES BASS LINES
QWIKGUIDE
ATN, inc.

BASIC BLUES HARP
QWIKGUIDE
ATN, inc.

BASIC CHROMATIC HARMONICA
by Phil Duncan
QWIKGUIDE
ATN, inc.

by Mat Marucci
15-MINUTE WARM-UPS FOR DRUMS
QWIKGUIDE
ATN, inc.

by Frank Briggs
DRUM SET DAILIES
RUDIMENTAL APPLICATIONS FOR DRUM SET
QWIKGUIDE
ATN, inc.

BASS WARM-UPS
QWIKGUIDE

by Chris Matheos
BUILDING AMAZING BASS TECHNIQUE
QWIKGUIDE
ATN, inc.

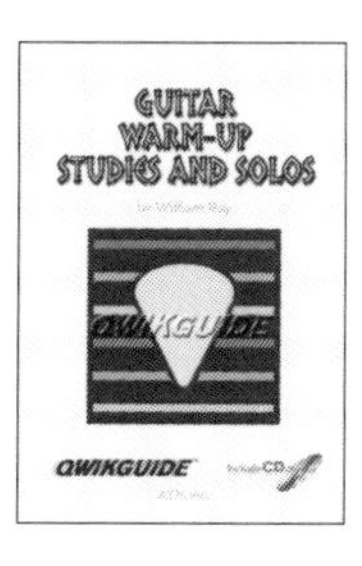
GUITAR WARM-UP STUDIES AND SOLOS
QWIKGUIDE

QWIKGUIDE™

by William Bay
JAZZ TUNES
QWIKGUIDE
ATN, inc.

by William Bay
TUNES FOR GUITAR TECHNIQUE
QWIKGUIDE
ATN, inc.

by Chris Matheos
FAMOUS JAZZ BASS CHORD PROGRESSIONS
QWIKGUIDE
ATN, inc.

by Fred Sokolow
GREAT BLUES SOLOS
QWIKGUIDE
ATN, inc.

by Janet Davis
FAMOUS BANJO PICKIN' TUNES
QWIKGUIDE
ATN, inc.

by Tommy Flint
GREAT FINGERPICKING TUNES
QWIKGUIDE
ATN, inc.

by William Bay
FAVORITE GUITAR PICKIN' TUNES
QWIKGUIDE
ATN, inc.

Include CD disc

ロック・ギター・ライン《CD付》
FAMOUS ROCK GUITAR LINES

Rolling Stones、*REM*、*Van Halen*、*ZZ Top*、*Tom Prtty*、*Police*、*Styx*、*Roy Orbison*、*Buddy Holly*、*C.C.R.*、*Eagles*、*Doobie Brothers*、*Animals*、*Ted Nugent*、*Eric Clapton*、*Doors*、*38 Special*、*Little River Band*、*B-52's*、*Led Zeppelin*、*Dire Straits*、*Los Lobos*、*Atlanta Rhythm Section*、*Bruce Springsteen*など、1960年代～80年代の代表的なロック・ギターのスタイルを50例掲載。

カントリー・ギター・ライン《CD付》
FAMOUS COUNTRY GUITAR LINES

誰でも耳にしたことのある、典型的なカントリー・ギターのラインを50例掲載。フラットピッキング・スタイル、ナッシュビル・サウンド、ベイカーズフィールド・サウンド、ウェスタン・スウィングなどさまざまなカントリー・スタイルを楽しく弾こう。

ギタリスト必携のカントリー・ギターのネタ帳。

ブルース・ギター・ライン《CD付》
FAMOUS BLUES GUITAR LINES

Albert King、*Magic Sam*、*Buddy Guy*、*Elmore James*、*John Lee Hooker*、*Hubert Sumlin*、*Andrew Jones*、*Peter Green*、*Henry Vestine*、*Freddie King*、*Charlie Christian*、*Billy Buttler*、*Eric Clapton*、*Jimi Hendrix*、*Lonnie Johnson*、*Sammy Lawhorn*、*Robert Cray*、*Muddy Waters*、*Chuck Berry*、*B.B. King*、*Chriss Johnson*など、さまざまなブルース・ギターのスタイルを50例掲載。

フラットピッキング・ギター・ウォーミング・アップ《CD付》
GUITAR WARM-UP STUDIES AND SOLOS

ギター・ソロを弾く上で、特に重要な右手のピッキングと左手のフィンガリングのコンビネーションを身につける練習曲集。アコースティック・ギターを使って、ソロを弾く前のウォーミング・アップの方法とソロへの応用を練習。本書を使ってウォーミング・アップをすれば、指の動きは明らかにスムーズになる。すべてのギタリスト必携。

ジャズ・ギター・チューン《CD付》
JAZZ TUNES

やさしいジャズのラインをバック・バンドと一緒に楽しく弾こう。難しい理論やテクニックを省き、ジャズ・ぎたーのフレージングの基本や常套句的フレーズが自然に学びとれる。またスウィングだけでなく、ブルース、ビバップ、ジャズ・ワルツなど、ジャズの面白さや楽しさを味わくことができる。

フラットピッキング・ギター・テクニック《CD付》
TUNES FOR GUITAR TECHNIQUE

ギター・ソロを弾く上で、特に重要な右手のピッキングと左手のフィンガリングのコンビネーションを身につける練習曲集。

アコースティック・ギターを使って、ブルース、スウィング、カントリー、ブルーグラス、ワルツなどのいろいろなスタイルの曲を弾きながら確実なフィンガリングを身につける。

フィンガースタイル・ブルース・ギター・ソロ《CD付》
GREAT BLUES SOLOS

1920年代～30年代のスタイルのブルース・ソロを掲載。伴奏とメロディーを同時に弾くフィンガースタイルをカッコよくきめよう！オープン・チューニング、ドロップ・チューニング、ボトルネックなどさまざまなブルース・ソロを楽しむことができる。これでキミもストリートのヒーローになれる！？

フィンガーピッキング・ギター・チューン《CD付》
GREAT FINGERPICKING TUNES

ブルース、カントリー、ブルーグラス、ラグタイム、フォークなどのスタイルの曲で、伴奏とソロを同時に弾くテクニックを身につける。CDとTAB譜で楽々マスター。

ソロ・ギターのテクニックを身につけてストリートへ飛び出そう。

ATN, inc.

FAVORITE GUITAR PICKIN' TUNES
フラットピッキング
ギター・チューン

発行日 2001年 9月 1日（初版）
著者 William Bay
翻訳 中村 春香
監修 林 雅諺
楽譜作成 株式会社 アルス ノヴァ
発行・発売 株式会社 エー・ティー・エヌ

住所 〒161-0033
東京都新宿区下落合 3-12-21 目白エミネンス102
TEL 03-6908-3692 / FAX 03-6908-3694
ホーム・ページ http://www.atn-inc.jp

3938

ISBN4-7549-3938-7